髪

あるがままの美しさを求めて

森田 要

茅花舎 Tsubanasha

美髪再生への道

再生へのヴィジョン

思考を変えると、習慣が変わり未来が変わる。

1 今までの美容院の常識を見直す。

2 髪を切り整える。

3 自分自身の髪を自らの手できれいにする。

4 草花の香りや感触に触れながら、髪を整える。

5 化学物質の使用を止める(ヘアカラー、パーマなど)。

6 シャンプーの習慣を変える。

再生への方法と手順

大切なのは、理解して繰り返すこと。

1 壊れた髪を切り整える（再生のために使用するヘナの量が抑えられ、節約につながる）。耐久性の確保。新生毛だけでデザインを構築する。

2 ヘナを使って髪を再生。ヘナを使うことで髪の強度が増す、髪や頭皮の汚れ除去する、抗酸化作用による美髪効果が期待できる。

3 シャンプー（*ラクシュミーでは生分解性に優れた製品を販売）を選ぶ。

〈傷んだ髪・美しい髪になるまでの移行期の手入れ〉
液体シャンプーで保湿効果があるもの、またはトリートメントを使用する。

〈きれいな髪の手入れ〉
液体シャンプーの回数を減らす、トリートメントは使用しない。植物と水のみで髪を洗う（*ラクシュミーでは『みぐしすまし』を提案）。

*株式会社ラクシュミーは森田要が運営する化粧品販売会社。

再生にかけるお金と時間

「きれいな髪」は自身の内なる美しさの表れ。費やすお金と時間を最大限抑える。

1 コスト――自身でお手入れをすることにより、生涯の美容にかけるコストを10分の1以下に抑える。

2 時間――髪を切り整える以外は、自身でお手入れを自宅で繰り返すことで、大きく時間の削減ができる。

3 寛ぎの場所と時間は、美容室以外で――美術鑑賞・読書・コンサート・映画鑑賞など、知的な時間に置き換え自身を磨く。

美髪再生の完了

化学物質で「傷んだ髪」から、植物で癒された「美しい髪」へと完成すれば、あとは理想の植物によるお手入れのみ、しかもすべて自宅でできる。

1 新生毛のみで新しいデザインを構築する。耐久性のある髪ができあがる。建築で言うところの素材の確保である。

2 お手入れは自分自身で行う。自身でお手入れをすることにより、髪への想いが変化する。

3 繰り返し効果により、さらに髪のきれいを実現できる。習慣化することで未来が変わる。

40年余りの美容の経験を重ね結論に至った最善の方法を、より多くの「美しい髪」をめざす方々と、情報を共有したいと思います。

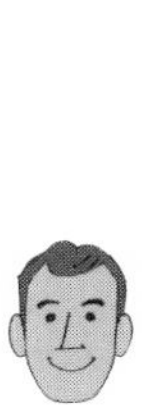

森田 要

はじめに

1978（昭和53）年、美容専門学校を卒業した私は、都内の美容院に入店した。その後、縁あって長崎県の美容院に勤め、また都内に戻る。都内に戻った頃から、美容師としてのそれまでのやり方に少しずつ違和感を感じていたこともあり、自分の思う仕事を通したいと、独立を考え始めた。美容師として仕事を始めて6年経った1984（昭和59）年、勤めていた美容院から独立し、自分の店を開くことを決意した。

道は二つあった。一つは、長崎で勤めていた美容院のオーナーの紹介で、当時、美容業界の四天王といわれていた「ル・クレール」の田中親氏と出会い、鎌倉の支店をやらないか、と声をかけていただいた道。田中親氏は日本人で初めて雑誌『フレンチヴォーグ』のヘアを担当するなどの実力者。田中氏の支店を担当できるというのは、とても魅力的な話だった。

そしてもう一つが、ここで完全に独立した自分の店をスタートするという道だった。独立すると決めてから、知人の紹介により、ニューヨークでビダル・サスーン（Vidal Sassoon）のアーティスティック・ディレクターとして活躍していたShin Yoshinoの美容室「Atelier Shin」の居抜き物件を見つけていた。

悩んだ結果、私は自分自身の責任で行うこと、独立して0からスタートする道を選んだ。この選択は、のちの人生にとって大きな分岐点になったと思う。それは、Shin Yoshinoの美容室に残されていた三つのものとの出会いが、今の私の活動のスタート地点となったからだ。

その三つとは、一つは、Shin Yoshinoが作った自身の活動を紹介するパンフレットに書かれていた言葉、「常識という落とし穴」。二つ目は、書籍『存在の詩《うた》　和尚　OSHO』（バグワン・シュリ・ラジニーシ著　スワミ・プレム　プラブッダ翻訳　めるくまーる発行　１９７７年）。三つ目は、「ヘナ」だった。

「常識という落とし穴」

これは決まりだから、常識だからといわれていることでも、疑問を抱いた時には、そこに何か問題が潜んでいる可能性がある。そのまま見過ごしてはいけない、きちんと疑問と向き合っていこうと、この言葉を見て改めて決意した。

私が専門学校を卒業して美容院に入店した新人の頃、

「先輩の教えに対して疑問を持つな」

と言われて育てられた。疑問を抱くことなく、日々の業務を覚える、美容師としての技術を鍛えることがよしとされていた時代であった。そんな日々の中で、私は常に疑問や不思議を抱いていた。

白髪を染める時、全体的に同じ色に染めることが美しさの基本とされていた。色むらがないことが、技術的に素晴らしいものとされていた。ただ、私は80代後半の女性の髪が、一分の隙もなく真っ黒になることは、逆に不自然に見えると感じていた。そんな疑問を先輩に尋ねてみたが、頭から否定された。

ある日、80代後半のお客様にカラー剤を塗る仕事を任された。ついに、やってしまった。真っ黒な髪の不自然さをなくすために、髪を少しずつ丸く束ねてその上からカラー剤を塗り、全体的に自然に見える色むらを作ることを勝手に試みてしまった。全体のイメージが、自然な雰囲気になる、絶対に良くなる。それを実験してみたかった。

染め上がると、先輩から

「何をやっているんだ。もう一回、やり直しじゃないか」

「何を目的にカラー剤を使っているのかわかっているのか。きれいな黒髪を作るためだ」

バックヤードに呼ばれ、叱責を受けた。

ところが逆に、お客様はとても喜んでくれたのだ。その姿に、先輩は何事もなかったようにお客様を見送った。

「今日も、前回のようによろしくね」

次の来店時も、前回のように染めてほしいとリクエストを受けたのだ。改めて、美容師という仕事は、お客様が気づかなかった「美しい」を提供することが、大切な仕事であるのだと思った。

パーマやカラーリングの技術を覚え、お客様の髪を施術しながら疑問を抱いたことはほかにもある。美しい髪を目指して施術をしているのに、同じお客様が来店するたびに、髪はどんどん傷んでいくのはなぜだろう。トリートメントで修正しようと試みるが、次に来店された時は、さらに傷んでいる。この方法は正しいのだろうか。

自分の理論を証明するには、詳細な観察データが必要だ。資料を徹底的に調べ、仮説を立て、実験する。疑問を解決するまでの予定や方法の計画を立てる。自分の仮説を証明する旅には、地図が必要だ。問題解決までの地図を作り、行動する。これが私の始めたことだ。

本当のことを知りたい。

さまざまな疑問の解決を探っていくうちに、一般的に行われているヘアケアでは、美しい髪を目指すことはできないと確信した。さらに「美しい髪」を守るには、ヘアケアを巡る経済循環から変える必要があるという考えにも至った。

髪を壊すことなく、自身の持って生まれた美しさを保つ。髪のケアで、美しい髪と健康を損なうことなく、髪の美容に関わる誰もがマイナスを出さず、笑顔で生きていく。そのことができる経済の仕組み、「誰もがプラスになる活動」の仕組みこそが必要だ。今、一般的だと考えられているヘアケアを見直す必要がある。

「Atelier Shin」に残されていた、三つのうちの二つ目。書籍『存在の詩　和尚 OSHO』(バグワン・シュリ・ラジニーシ著　スワミ・プレム プラブッダ翻訳　めるくまーる発行　1977年)。

この本はチベット密教の奥義『マハムドラーの詩』を題材に、現代インドの覚者OSHOがその究極の体験を解き明かしたもの。OSHOことバグワン・シュリ・ラジニーシはインド生まれ。ジャバルプール大学で9年間哲学教授を務めた後、インド各地で講演を行った。この本を読んでから、インドへの関心がどんどん膨らんでいった。今、インドと深くつながりがあることをとても不思議に感じている。この本に出会った時は、ここまで深くインドと関わるとは思ってもいなかった。

そして三つ目のヘナ。Shin Yoshinoは当時、ニューヨークを拠点に活動され、ときどき日本に帰ってきて、南青山のサロンで予約を受け付けていた。そのサロンに残されていたのが、ニューヨークで販売されていたヘナだった。現物のヘナを見たのは、私はこの時が初めてだった。ここでヘナに出会い、調べ始め、ヘナに助けられて今がある。

私の美容師としての人生は、「Atelier Shin」が、すべてのスタートとなったようだ。

髪は神
髪に向き合う時に
大切にしていること

髪を「カミ」と呼ぶのはなぜか。

荒俣宏氏は、その理由について著書『髪の文化史』（潮出版社）で以下のように語っている。

　一般に日本人は、天上に神がいる、と考えたので、上をあらわすカミという語を神の意味にも用いた。当然、人体に宿る神、すなわち魂もまた、上にある毛髪に住まうと信じるようになった。ただ、古代の日本語は現在にくらべて多数の音《おん》をもっており、神《カミ》と髪《カミ》とでは、ミの発音が微妙にちがっていたという。もっとも、平安時代以後は発音の区別もなくなったから、最後には上＝《イコール》髪＝《イコール》神となっても、ふしぎではない。

さらに、髪と神が等しいというこの発想は、世界中のいたるところに見うけられる、と指摘している。

　太陽は、地上に生命をはぐくむ大きな自然のエネルギー。このエネルギーは、太陽から発する光の筋《すじ》によって、地上に送りとどけられる。

　古代人は、この光線を「太陽の髪の毛」と考えた。したがって、太陽は「光り輝く長い髪をもち、長いひげを生やした神」としてイメージ化される。太陽神とされるギリシア神話のアポロン、インド神話のアグニ、またアステカ神話のツォンテモク、あるいはペルシア神話のミトラも、すべて長い髪を八方にのばした神の姿をとる。エジプト神話のラーもまた、黄金の髪に飾られている。(『髪の文化史』)

神が宿る髪、太陽から発するエネルギーを受ける髪。

そんな所以《ゆえん》があるから、髪が放つパワーを私はとても感じる。大きなエネルギーを放つ髪に化学物質を使って色を変えると、たちまちエネルギーは減少してしまうように感じる。美容院の扉が開いてお客様が入ってくるその瞬間、カラーやパーマをしている人は、その人から放たれるエネルギー、生命力が弱いように思うのだ。

生花とブリザーブドフラワーを比べてみてほしい。着色したブリザーブドフラワーはきれいだが、生花のような強いエネルギー、生命力を感じることはない。これと同じなのである。自然は美しい、神が創造したそのままの姿が最も美しく、そして生命力に溢《あふ》れている。若いからこその潑剌《はつらつ》としたエネルギー。歳を重ねたからこそ醸し出される気品、凛《りん》とした姿。そんな生き方が素敵だと思う。

ブリザーブドフラワーのように、人工的な美しさの施しを追い求めた結果、髪は傷つき、生命力は削《そ》がれる。化学薬品による美しさを求めた結果、猛スピードで薄毛から禿《はげ》に変貌していく。こんなレールに乗ることが、はたして幸せなのだろうか。

しかも、多額な投資をしてのことだ。私は、自身の成長への投資に使うことが生きたお金の使い方だと思っている。

歴史を振り返ると、昔から白髪を染めたいという願望があったようだ。平安末期の武士斎藤実盛は、白髪を染めて奮戦し、討死にをとげたという記載がある。享年73とするとのこと(『山川日本史小辞典　改訂新版』　２０１６年　山川出版社)。江戸時代後期に佐山半七丸によって著された『都風俗化粧伝《けわい》』によると、黒色のびんつけ油で艶《つや》を与えて白髪を目立たなくする、くるみ、桑《くわ》の白木根《しろきね》、ざくろの皮などを煎じるなどして塗るなどが行われていた。明治時代はお歯黒を利用、タンニン酸と鉄分で10時間ほどかけて黒髪へと染めていたようだ。

海外を見ると金髪への憧れが強かった時代があったようだ。古代ギリシアでは、若者に男女共、金髪が好まれ、喜劇作家メナンドロスは、灰分(アルカリ)を牛脂で固めた軟膏を髪に摺り込み、何時間も太陽の下に座り続けて髪色を脱色する人の姿を作品の中に描いている。これは非常に髪を傷めたという。

髪を傷めても若々しくいたい、あるいは、その時の流行を追いたい。その気持ちは現代も変わらないのだろう。

21世紀、そろそろ意識を進化させようではないか。白髪を染めるのなら、体と自然に優しい方法を選びたい。

「自然は美しい」

「自然のままの髪は美しい」

今こそ、このことを再確認する時だ。

第一部　常識という落とし穴

第一章　「美しい髪」を渡しに東へ西へ

第二章　美しい髪とそれを壊すもの

第三章　負のサイクルで経済を回す美容業界

第二部　クライアントは髪である

第一章　美容室Kamidokoの日常

第二章　ヘナと歩んだ30年

第三章　新発想・粉末ハーブで頭髪を洗い、整える

第三部　未来へ 植物の可能性

第一章 植物の力を借りて

第二章 経皮吸収による可能性を知りたい

第一部

常識という落とし穴

第一章　「美しい髪」を渡しに東へ西へ

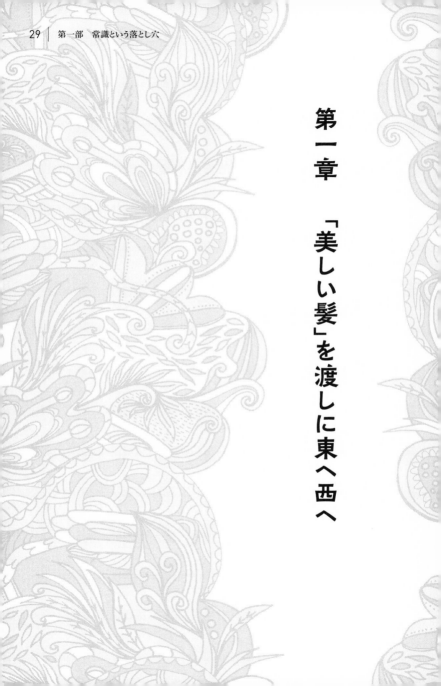

100%植物ヘナは白髪を黒には染めない

正しい情報を伝えたい

２００９(平成21)年より、私はヘナのワークショップを全国各地で開催することに力を注いできた。毎週、月、火、水の3日間は各地に出向き、残りの4日間は美容師として南青山にある自身のサロン「Kam·idoko」で仕事をしている。

ワークショップを始めるきっかけは、２００５(平成17)年、日本でヘナを取り扱う販売会社が増え、ようやくその存在が知られてきたと喜んでいたところ、粗悪なヘナが市場に出回り、国民生活センターに苦情が入るほどの問題となり、ヘナへの信頼が失われてしまったことによる。

問題となった粗悪なヘナは、粉末が鮮やかな緑色に見えるように着色されていたり、髪が黒く染まるように化学物質が入れられたり、髪への有効成分である色素成分がほとんど入っていなかったりした。化学物質が入ったヘナを使った人からは、皮膚がかぶれた、腫れたなどのトラブルが報告され、色素成分がほとんど入っていないヘナを使った人からは、白髪が染まらないなどの苦情が発生した。

2005年前後は、日本でヘナがだんだんと知られ始め、人気になる兆しが見えてきた時だったので呆然とした。

ヘナがまだあまり知られていなかった1993(平成5)年、私は雑誌の特集に寄稿したり、本を書くなどの活動をしてヘナの普及に努めてきた。ようやく知られるようになったと思ったら、紛い物のヘナの問題が発生した。積み重ねてきたことが崩れるような感覚を覚えた。ヘナを輸入している企業の中に、ヘナ本来の働きと効果を理解しておらず、さらに、インドで紛い物のヘナが横行している状態を把握していないところがあったようだ。

「生活クラブ生協のイベントで、ヘナの話をしてほしい」

ちょうどその頃、せっけん運動活動をしているというお客様に、声をかけていただいた。

当日、講習会で話をしてみると、満席の会場から熱気が伝わってきて、反応がとてもいいように感じた。

「ヘナの効果がようやくわかりました」

こんな感想を多くいただけたことで、その後、都内の同じ会場で数回開催され、さらに神奈川県の会場にも呼んでいただいた。

この講座で、私が取り扱っているヘナを販売したことはない。「美しい髪のために必要なこと、不必要なこと。ヘナの効果と役割について」を伝える機会をもらえたことが、ありがたかった。このことが一番大切なことだと思っていた。

会場でヘナが欲しいと思った人は、生活クラブ生協で販売しているヘナ(他社のもの)を購入できるので、「使いたいのに手に入らない」という不便もない。

ワークショップの講師を経験したことで、この方法がとても伝わりやすいことを実感した。「話を聞いて、読んで理解して、実践してみる」。ワークショップで話すことで、本を書いたことも無駄にならないと思った。

ワークショップを開きたいと考えていることを周りに話すと、長野県諏訪市でヨガスクールを開いている方が主催してくれた。「美しい髪を保つために必要なこと、不必要なこと」

のほかに、「自分の髪質で不満に思っていることこそが、美しい髪の演出のための最大の武器であること」、「傷んだ髪からの脱却、美髪を目指す方法」など髪への考え方、接し方について話し、その後は、時間の許す限り一人ひとりの悩みに答え、それぞれに適した美髪再生法をアドバイスした。

話をしていくうちに、今日参加してくれた方の髪が、この先どのように変化していくのか、その過程を見たいと思った。

「できれば4か月後にまた開催してほしい」

主催者に申し出たところ、快諾してくれた。

もちろん、参加は強制ではない。気が向いた人だけが参加してくれたらいい。実際にどのように髪が変化していくのか、その過程を追い、途中でヘアカラーをするような脱線をせずに、美しい髪になった姿を見たいという思いが強かった。これは貴重な経験として、私の大きな財産となった。

だからこそ私は、主催者から講習費や交通費をいただかない。ワークショップへの参加は興味のある方すべてを受け入れたいと思った。こうして始まった諏訪のワークショップは2020年現在、11年目を迎えている。

長野の次に声がかかったのは旭川だった。こちらもヨガの先生が主催してくれた。ヨガは古代インドが発祥であるため、ヘナについて早くから知識があるからだろうか、ヘナの普及活動に積極的だ。30人から始まり、延べにして今まで400人の方の髪の変化を見ることができた。

ワークショップに参加していただいている方の髪がきれいになっていくと

「どんなトリートメントをしているの？」

「シャンプーは何を使っているの？」

こんなふうに周りから聞かれるそうだ。「きれいな髪をしているね」と褒めてもらうことで、自信にもつながり、化学物質のヘアカラーをしたい症候群からも抜け出せる。

2、3か所、ワークショップの講師を始めると、そこから口コミで広がり、今では、北海道、宮城、愛知、三重、岐阜、京都、大阪、福井、石川、新潟、岡山、香川、福岡、宮崎など各地から声がかかる。

ワークショップは、ヘナ製品の紹介ではない。ヘアケアの見直し、髪が傷むだけでなく、薄毛にもなることを伝え、美しい髪を長く保つために、あれをして、これもするという足し算の美容ではなく、あれもやめる、これもやめるという引き算で考えてほしいこと。生まれ持った自分の髪質が、最も似合うスタイルを実現できること。傷んだ髪を復活させるために必要なことは何かを伝える。そして時間が許す限り、個々の髪の悩みに答える。本物のヘナとは何かについての話はするが、ヘナだけの話をすることはない。ときどき途中の話が盛り上がり、ヘナのことまで到達しないこともある。

紛い物のヘナが横行したことから、本物のヘナについて知ってほしいと思い、始めたワークショップだが、実際に始めてみると、その内容は、美しい髪のための引き算のヘアケアの話が中心になっている。だが、傷んでしまった髪の復活と白髪や薄毛の悩みの改善には、ヘナはとても頼りになる存在だ。

ワークショップのための交通費や宿泊費の私の持ち出しは、将来、ヘナの商品を購入してくれる人があらわれた時に、きっと回収できる。なんの保証もないけれど、そう思うことにした。講習会参加に、ヘナの購入が必須という条件はつけない。ヘナは、自らの意思で「使いたい」と求めるからこそ、生きてくる。ヘナを使うメリットを納得してくれて、必要と思った人に購入してもらえればいいと、私は思っている。

現在まで、一度も定期購入制度も行っていない。やめにくさを感じるようなことはしない。ヘナの販売会社の中には、ネットワークビジネスのような方法で展開しているところもあるが、そういう販売方法はしたくない。

キリンで生まれたのに、なぜシマウマに

ヘアカラー愛好者の不可解な行動

ワークショップで、パーマやヘアカラーをしたことがある人と尋ねると、ほとんどの人が手を上げる。

どうしてパーマをしたの、なぜヘアカラーをしたの、と尋ねると

「きれいに見えるから」

「パーマをかけたら似合うと思って」

など、いろいろな理由が出てくる。

「生まれた時からヘアカラーをしていたの」

と聞くと、

「そうではない」

と答える。

「あなたはキリンで生まれました。キリンで生まれてキリンのボディーです。でもシマウマの模様に憧れ、カラーを駆使して、体の模様をシマウマに変えました。満足して楽しくなります。ところが2～3か月すると、根元からキリンの模様があらわれてきます。まだらになっているところも出てきました。たまらずに、急いでカラーをして、シマウマのボディーに変えます。それを繰り返していくうちに、キリンは、自分はキリンではなくてシマウマではないだろうかと思うようになってきました。いつの間にか、心も混乱してくるのだと思います」

こんな話を始めると、参加している人の表情が次第に変わってくる。ヘアカラーをしていることが、不自然であることに気づき始めるのだと思う。根元から地毛が出てきた時、「こんな恥ずかしい状態では街を歩けない」と焦る自分の姿を思い出しているのかもしれない。本来は、根元に新たに生えてきた自分の髪の毛を見て、メラニン色素が破壊されていない髪の美しさを感じ、大切に思うべきところなのに、それを毛嫌いするというのは、どう考えても滑稽《こっけい》なことだ。

ときには、整形手術を繰り返した海外アーティストの話をすることもある。何もしなかった時の方が良かったと、ほとんどの人が答える。

アーティスト本人は、そのことに満足していたかもしれない。ただ、周りには、精神的にも追い詰められているような印象を持つ人がいたはずだ。アーティストの身近にいる人が、もっと真剣に向き合っていたらと残念に思う。

この世に生命を受けた姿、神様が創造した姿に勝るものはない。ヘアカラーの薬剤の危険性を心配することも大切だが、それよりも、まずは自身が生命を受けた姿、生まれ持った個性を大切にすることが大事であることに、気づいてほしい。

人気のタレントやユーチューバーの中には、派手なカラーリングをしている人がいる。彼らに憧れ、真似したいと染める人が、若い世代にはたくさんいるだろう。真似をしながら、「自分の個性を発揮しているのだ」と発言している人が多いように思う。

個性とは何なのか。それは自分自身が生まれながらに持っている特徴を最大限に生かすことだと、私は思う。

タレントや人気ユーチューバーは、身を削って、仕事としてその姿になっている。その行動を模倣する必要はどこにもない。模倣するのに、お金を費やして体をいじめて、何が残るというのだろうか。

「脱色したことはない」と答えるヘアカラー経験者

美容師は施術についての説明が足りない!?

「ヘアカラーをしたことがある人」

ワークショップで、こんな質問をすると、ほとんどの人が手を上げる。次に
「脱色をしたことがある人」

と聞くと、2、3人しか手が上がらない。ヘアカラーは、まずは髪の毛の色を脱色させ、そこに色を入れていることであると説明すると、驚いたような表情に変わる。ヘアカラーと脱色は別物と思っている人が、それほど多いのだ。

ヘアカラーは、薬剤でキューティクルを開き、中に入り込んだ薬剤が髪のメラニン色素を壊して脱色。色が抜けたところに、浸透した染料が酸化して発色する。ヘアカラーの施術中、

一時、髪の毛は脱色され、白髪のような状態になっているのだ。

これだけでも、ヘアカラーを続けると白髪になりやすい髪になることが想像できるのではないだろうか（詳細は84〜86ページ）。

ヘアカラーをすることで、水分量は健康的な髪の時よりも4割も減少する。ヘアカラー後に、髪がぱさついてまとまりにくくなるのは、当然のことなのである。

美容師はヘアカラー施術前に、その仕組みについて、十分な説明ができていないと思う。

アイビーの茎をもっとくるくるさせる、反対にすべて伸ばす

パーマで作る髪の不自然さ

観葉植物アイビーの茎を不自然にくるくると巻いてみる、反対に全部まっすぐに伸ばしてみる。はたして美しいと感じるだろうか。森に生きる木々、そこにある枝がまっすぐに伸びる枝だけになったら、つまらない世界になってしまうだろう。

見かけのつまらなさだけでなく、薬剤で人工的に手を加えると、生命本来のエネルギーが失われる。私はそれを感じる。

髪も同じ。不自然なことをすれば、本来の生命力は失われる。ウエーブヘアを楽しみたいときは、ホットカーラーでその日だけの巻き髪を楽しむ。ホットカーラーの熱は髪には良くないが、パーマに比べると被害は少なくてすむ。

パーマを施術する前に、髪や体にどのような負担をかけることになるのか、美容師からきちんと説明を受けた経験はあるだろうか。ぜひ質問してみてほしい。美容師は、その仕組みをしっかりと説明する必要があるのだから。

パーマは、薬剤を髪の中に浸透させ、たんぱく質を変形させる。髪の組織であるたんぱく質同士の結合を一度切り離し、形状を変えて（ロットで巻いているので曲がった状態で）再結合させる。この施術によってウエーブはできるが、組織を傷めているので、髪の中からたんぱく質や水分が流出しやすくなるなど、さまざまな弊害が出てくる（詳細は80ページへ）。

髪が傷むだけでなく、経皮吸収によって体も疲弊することを忘れてはならない。これはヘアカラーも同じこと。美容師は、お客様に負の情報も公開したうえで、その施術をするのかやめるのか、選択してもらうべきである。

自然のままの髪は、生命力にあふれている

化学物質の薬剤でエネルギーは枯渇する

傷んだ髪を回復させるには、もしくは急速に薄毛や白髪になることを防ぐには、パーマやヘアカラーをやめる以外に方法はない。1988年のある日を境に、私は髪に化学物質を使うという発想を捨てた。パーマやヘアカラーをやめると、薬剤を使った髪からエネルギーが失われていることを、今まで以上に感じるようになった。

ブリザーブドフラワーと生花や鉢植えの植物。部屋に置いた時に、どちらから生命力や、エネルギーを感じるだろうか。私は鉢植えの花や、生の切り花からそれを感じる。ブリザーブドフラワーはきれいではあるが、エネルギーは何も感じない。

鉢植えの植物や切り花を置いた美容院の空間は、生命力が隘れ、元気で活気のある雰囲気

になる。ブリザーブドフラワーに囲まれた空間は、美しいけれど、活気や生命力は感じられない。そういうことなのだ。

薬剤で作り上げたブリザーブドフラワーは美しいけれど、ただそれだけ。エネルギーのない、異質なものに感じる。異質なものを生きている人の頭にのせたくない。人としての生命力まで激減するように思うからだ。そのことを、ワークショップに参加している人に伝える。

京都の東本願寺に明治時代に編まれた毛綱《けづな》が展示されている。ガラスの向こうに展示されている毛綱を見た時、強いエネルギーを感じた。東本願寺の説明を読むと、1880（明治13）年から1895（明治28）年に行われた両堂の再建時、巨大な木材の搬出・運搬の際に引き綱が切れるなどの運搬中の事故が相次いだため、より強い引き綱を必要とし、女性の髪の毛と麻を撚《よ》り合わせて編んだのだという。展示されている毛綱は、新潟県（越後国）のご門徒から寄進されたもので、長さ69メートル、太さ約30センチメートル、重さ約375キログラムとある。

自然のまま、何もしなければ髪の毛はこんなにも強いのである。ヘアカラーで傷んだ髪に、この強さを期待することはできない。このことは、誰もが容易に想像できるのではないだろうか。ワークショップでは、ときには歴史的な髪の毛の話なども引用し、自然のままの髪が、いかに生命力が強いのかを伝えることもある。

「沁みましたら、おっしゃってください」はどこまで我慢すればいいのか

重篤なアレルギー症状を起こす危険あり

沁みるときは、すでに頭皮に負担がかかっている。だが、多くの人は、少しであれば、沁みるけれど我慢しよう、と耐えているはずだ。

お客様は、そこまで問題のある薬剤だとは思っていないし、プロが言うのだから大丈夫だと思っている。

沁みるのはどこまで我慢すればいいのか。

我慢するものではなく、やるべきことではないのだ。薬剤により、重篤なアレルギー症状、呼吸困難になり、生命を脅かすこともある。このことを忘れずにいてほしい。

増え続けるカラーやパーマの施術を見ると、多くの美容師は、薬剤の成分にあまり興味を

持っていないのではないかと感じる。パーマやヘアカラーは、デザイン（髪型）を作り上げるための一工程と捉え、パーマのかかり具合や、カラーの色の仕上がりへのこだわりは、とても強い。ところが、使われる薬品に、どのようなリスクがあるかの興味は薄いように思う。

美容業界に入り、「施術をすればするほどお客様の髪が傷ついていく。この方法を続けていていいのだろうか。何が原因なのだろう」と考えていた時、美容院にある植物が、どんどんと元気がなくなっていくように感じていた。もしかしたら、パーマ剤やヘアカラー剤が気化し、植物に影響しているのではないかという思いも浮かんだ。花がそうであれば、髪だけでなく人間の体も元気がなくなるのではないか。そんなことを思っていた。

パーマやヘアカラーの薬剤は安全ではないと、30年前から訴えてきた。当時、その危険について呼びかけている人は少なく、変わった人、怪しげな人と思われていたように思う。

それが今では、政府広報機関がその危険性について告知をしている（221ページの資料編参照）。消費者庁だけでなく、政府広報ホームページでも腎臓病、血液疾患等の既往症のある方はヘアカラーをしてはいけないと注意喚起している。

どうやら今、私は、パーマやヘアカラーの薬剤の危険を訴える変な人から、まともなことを訴える人へと変わりつつあるようだ。

18〜85歳までにかかる美容院代は1000万円!?

もっと有意義なお金の使い方があるはず

「美容院代にいったいいくら払い続けるのか、考えたことはありますか」

ワークショップでは、こんな問いかけを必ず行っている。

ヘアケアへの出費は想像以上に大きい。高校卒業後から、ヘアカラーやパーマを始めると考えると、18〜85歳まで1年間に10万円、67年間で約670万円。薄毛になり、かつらをつけることまで含めると1000万円になる。

もう少しかかるかもしれない。1か月に1度美容院に通い、1回1万円で計算すると、12か月では12万円。85歳までの67年間の美容院代は804万円とさらにアップ。かつら代を入れると1200万円前後になるかもしれない。美容院代に2万ぐらいかけている人の場合は、さらに高額になる。

かつらの値段は平均すると50万円程度のものが多く、１００万円ほどの高価なものもある。しかも、一人１~３個は購入するというので、３００万円ほどかかる。私のワークショップの参加者には、２０００万円を注ぎ込んだ人がいた。着物や宝石を揃えるのが好きな人で、かつらもそれと同じように集めたようだ。

ここ数年の薄毛ビジネスの伸びは著しい。テレビや雑誌でウイッグや植毛の広告が目に留まる回数が増えている。多くの企業が群がり始めている。


生涯で美容院代約１０００万円。

もし、このお金を別のことに使えたら、いろいろな計画ができるのではないだろうか。学ぶことなど、自己投資に使うことは有意義だと思う。特に思い浮かばないという人は、エネルギーの大きなもの、ダイヤなどの鉱物を求めるといい。「本物のダイヤを身につけると10年長生きする」らしい。ユダヤ商人は健康であってこそ何かができると考え、エメラルド、サファイヤ、ルビーなどを身につけるとのことだ。財力を誇示するためではなく、鉱物が自身にエネルギーをもたらすからと考えてのようだ。生きる力を与えてくれる宝石をネックレスにして、自身にプレゼントしてみるのもいいではないか。

美しい髪を渡す美容師が信頼を得る

施術を増やして利益を出す美容院は行き詰まる

2020（令和2）年、新型コロナの感染拡大防止のために、外出自粛要請が出され、美容業界の変化に加速がついているように思う。

かつては、美容院の倒産についての報道や記事はほとんど見なかったのだが、新型コロナの外出自粛要請をきっかけに、週刊誌などにも取り上げられるようになっている。だが、増え続ける美容院に淘汰の時代がきていることは、5年以上前から講習会で話し続けていた。実際にデータを見てもそれは明らかだ。

これからの時代、本物でなければ生き残れない。お客様の髪と体のことを考えて、髪のデザインをしている美容師こそが生き残る時代になる。

パーマ、ヘアカラー、トリートメント。使用する薬剤の量を増やして、髪を壊して、薬剤で一時的に美しく修正したように見せかけ、さらに髪を傷つけ、また修正する。この繰り返しで利益を捻出する美容院は、確実に淘汰される。

これは美容院の問題だけではない。美容院を利用するお客様それぞれが、自身の髪と健康のこと、髪への投資の仕方（お金のかけかた）を今一度見直す時期でもあると思う。

日本には75万人ほどの理美容師（うち美容師は約54万人、２０２１年2月18日発表　厚生労働省　令和元年度衛生行政報告例より）がいる。

これから美容師としての人生をスタートしようとしている人には、美容師の仕事で経済をどう回していくのか、そこまで考えてほしいと願う。

経済を回す方法まで考える美容師と、ただ単に美しくデザインすることだけを考えている美容師は、その後の人生がまったく違ってくる。

美容院に勤めていた売れっ子のトップスタイリストが独立した際、デザインだけを考えて仕事をしていた美容師は、ほぼ間違いなく経営が軌道に乗らず、失敗している。

独立して、お客様の髪のデザインだけを考えて施術していると、経営が回らなくなる人がほとんどである。経営が苦しくなってくると、美容師としての仕事の目的が変わってくる。

月1回はカットをしないと、おしゃれに疎い人やだらしない人だと思わせる。必要以上にヘアカラーを増やす、ヘアカラーとパーマを同じ日に施術する。トリートメントを勧める。

残念なことだが、髪を壊して修復することで多くの施術をし、売り上げを伸ばすことに必死になるのだ。いつの間にか、美しいデザイン(髪型)を創るということから、売り上げを伸ばす施術の追求へと目的が変わっていく。

これは、美容商材を販売している代理店にも問題がある。パーマやヘアカラーの仕上がりが良くなるからと機器の販売をする。機器は安くはない。揃えるための出費は痛いが、揃えるしかないと美容師は考える。

「ナノミストの温かい霧で加温すると、薬剤が髪の芯に届いて効果がある」

美容代理店は、機械による効果を謳って薦めてくるが、パーマやヘアカラーの施術中は加温すると危険であることを考えると(日本パーマネントウェーブ液工業組合も注意を促している。資料編220ページ参照)、おかしな仕組みだと思う。

今、世の中の景気は悪く、これからさらに厳しくなることが予想されている。こんな状況にあって、目先の利益を求めて薬剤を増やしていく施術を続けていては、お客様が先に悲鳴をあげる。「これ以上の出費は無理だ、この美容院にはもう通えない」。遅かれ早かれお客様は、気づくだろう。

お客様の髪を美しく保つために、体に危険があるかもしれないことはしない。厳しい時代であればあるほど、美容師の仕事への志、お客様に対する思いが大切になる。志のない美容師から、お客様は必ず離れていく。

私のワークショップには、ときには美容師さんが参加されることもある。

「パーマとヘアカラーの施術をやめても、本当にきれいな髪を渡していけば、お客様は必ず喜んでくれる、お店を続けていくことはできる」

彼女、彼らに美容師の先輩として、こんな話をする。

相談があれば、別途時間を取り、ヘナとカットだけの美容院を続けるための経営についても、具体的な数字を提示しながら伝えている。パーマやヘアカラーなど美容院の稼ぎ頭を捨てるのだから、最初はグッと売り上げが減る。でも、ここで踏ん張れば必ず道は開ける。

髪の栄養はトリートメントではなく食事から

無農薬野菜を食べて、ヘアカラーをする矛盾

ヘアカラーをした人の多くはトリートメントをする。トリートメントをすることで、ヘアカラーをした直後も艶《つや》が保たれ、一時的に美しくなるので、栄養が注がれて髪が回復されるようなイメージを持つようだ。

ところが現実は逆だ。ヘアカラーをすると、キューティクルから水分が漏れ、水分量は通常より4割減る。それを補うためにトリートメントをする。トリートメントは保湿力が高く、つけると髪に汚れが吸着しやすくなるため、自然と髪を洗う回数が増える。そうなると、頭皮が乾燥する。頭皮に脂が不足していると体は考え、どんどん脂を出す。毛穴がふさがる。もっと洗浄力の強いシャンプーを欲するようになる。

ヘアケア業界の経済を回す仕組みはここにある。

矢野経済研究所による国内ヘアケア市場規模は、２０１９年度の事業者売上高ベースで、前年度比１００・９％の４５２７億５０００万円。

２０１５年度に少し落ち込んだものの、それを挽回するように、毎年右肩上がりを続けている（データは57ページ）。２０１９年度も好調を維持、ヘアケア剤市場と植毛市場が堅調に推移。ただし、２０２０年度は、新型コロナウイルス感染予防対策により、マイナス成長となるだろう。

ぱさぱさな状態を安定させるために、保湿力の高いトリートメントをつけることで、髪がべとつきやすい、重い、など問題が発生する。洗浄力の強いシャンプーを使う。まさに負のスパイラルに入るのだが、傷んだ髪にトリートメントを使う習慣がついてしまい、やめられなくなる。この負のスパイラルが、２０２０年のマイナス成長により、どのような方向に向かうのだろうか。

トリートメントがいいものという考えが一般的になると、傷んでない髪の人までが美しさを保ちたいと使用するが、余計なことはしてはいけない。美しい髪が壊れていく。

髪の栄養はトリートメントではない、日々の食事が大切だ。

たんぱく質、炭水化物、脂質、ビタミン、ミネラルなどをバランス良く食べる。髪の毛を作るケラチンを作るのはたんぱく質。ほかに、亜鉛とビタミンが大切だ。ただし、一部の栄養素だけをたくさん摂ると、栄養のバランスが崩れるので、やはりさまざまな食品をバランス良く摂ることが一番である。私の美容院に来店する人は、安心・安全な食事に気を配っている人が多い。食に関する知識の豊富な人も多い。

「私は化学物質の薬害が心配なので、無農薬の野菜しか食べません」

そう話す人にも出会う。ところが髪を染めている人が多い。

「頭に農薬をかけてどうするの？　同じ成分が入っているのに」

と話すと、驚いた表情で

「髪のことは抜けていた。ファッションとしてばかり考えていた」

おもしろいことに、ほとんどの人がそう答える。なぜだかヘアケア剤の危険に対する意識は低いのである。

ヘアケア市場規模推移・予測

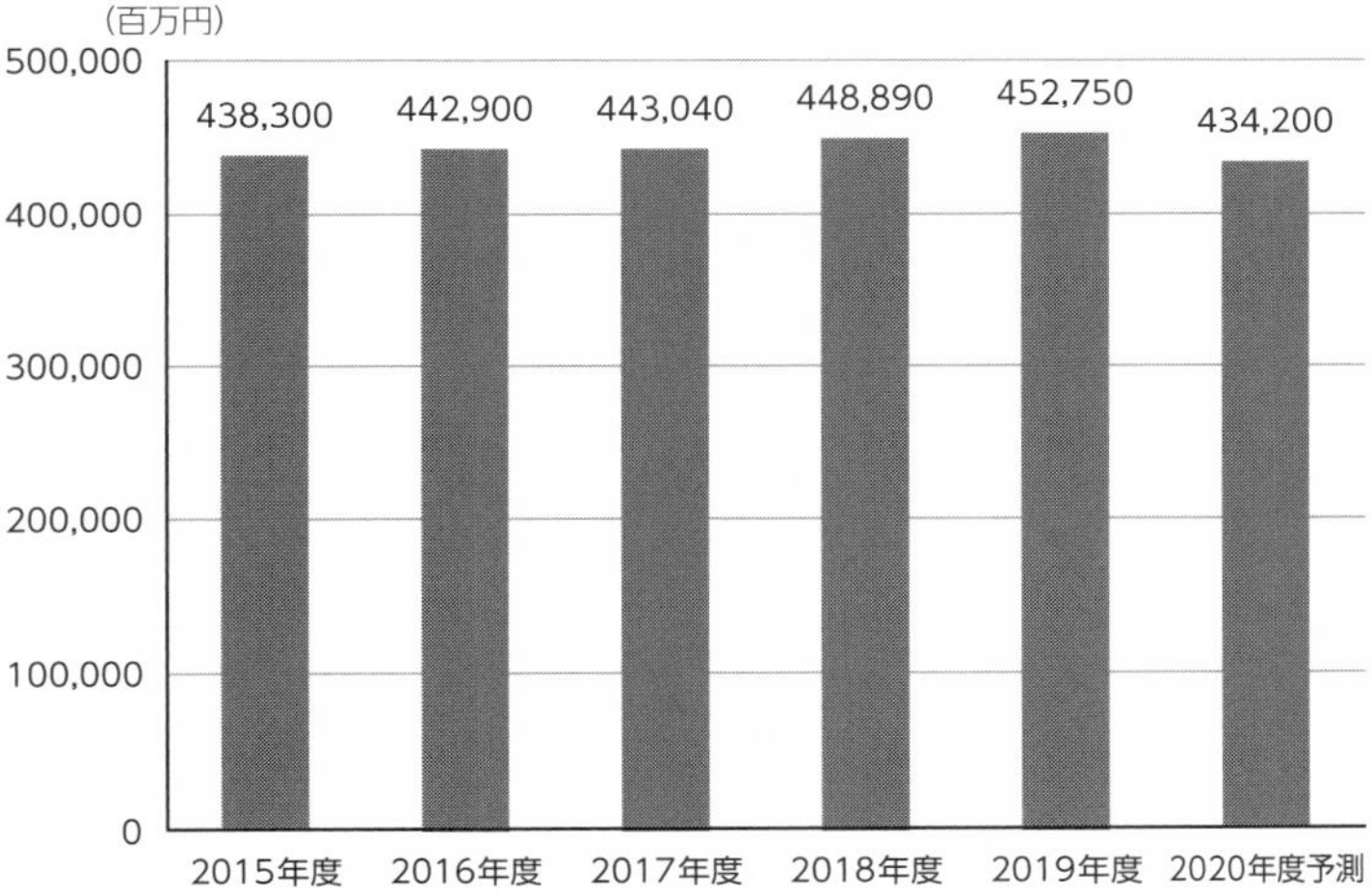

注1. 事業者売上高ベース
注2. 2020年度は予測値

2019年度のヘアケア市場カテゴリー別構成比

注3. 事業者売上高ベース
注4. 毛髪業市場には、かつら・増毛および育毛・発毛サービスの提供やそれに伴う商品販売を対象とし、ヘアケア剤市場にはシャンプーやリンス、トリートメントを含む。

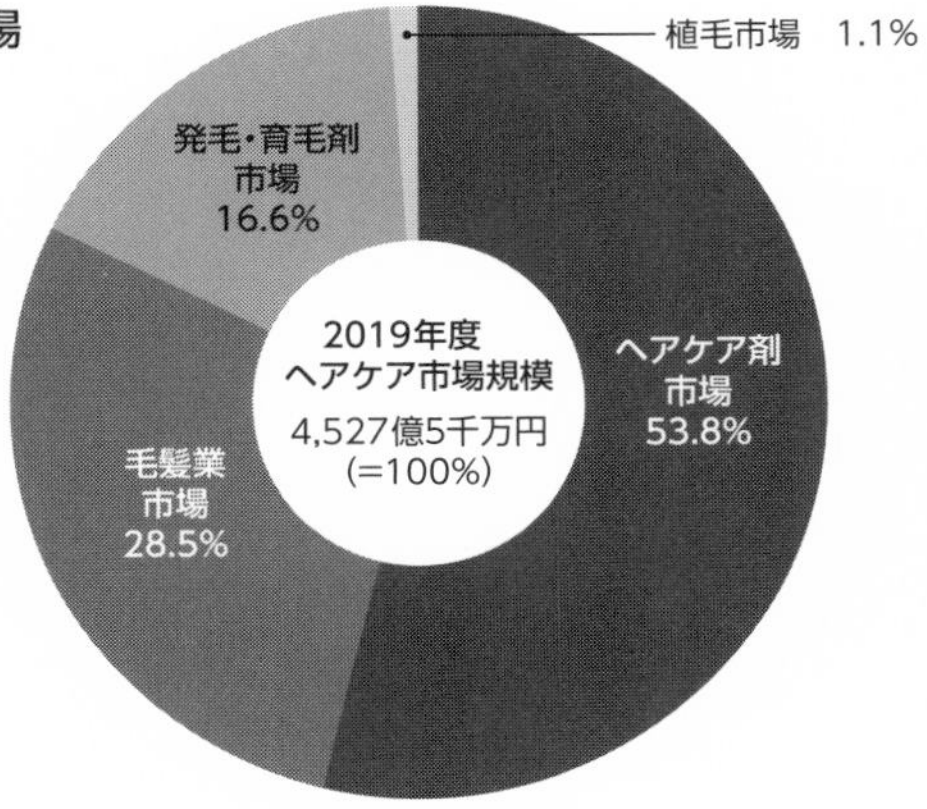

出典：株式会社矢野経済研究所「ヘアケア市場に関する調査（2020年）」（2020年11月9日発表）

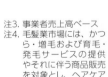

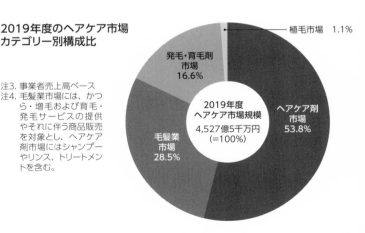

洗浄力や保湿力の高いシャンプー剤が、頭皮のバランスを崩す

洗髪方法を見直す

毎日、髪を洗うことが習慣になっていると、そうしないと駄目なような気になってくる。毎日洗う。皮脂がどんどん取れて乾燥してくると、体は脂を必要としていると察知し、脂をどんどん出すようになる。結果、地肌が脂ぎった状態に、ひどいときは髪全体がべっとりとした状態になる。こうなると、毎日、シャンプーをせざるを得なくなるだけでなく、洗浄力の強いシャンプーを求めるようになる。これが、負のスパイラルであることは、先に述べたとおりだ。

「ほかの動物を見てごらん。毎晩、シャンプーしていないよね。でも、つやつやしているね。

人間だけなぜ毎日シャンプーをする必要があるのか不思議だと思わない?」

こんな話をワークショップでする。

動物病院の先生に聞くと、シャンプーを頻繁にする犬や猫が、かさかさの皮膚や被毛になってやってくることがあるそうだ。シャンプーをやめてお湯だけで洗うようにしてもらうと、ほとんどの場合、改善するのだと。シャンプーの成分の一つ、化学物質で作られた界面活性剤が、皮脂腺分泌物質を洗い流すことで、皮膚バリアが低下し、皮膚に直接刺激が加わって炎症が起こるとのことだ。

もちろん、皮膚のトラブルのすべてがシャンプーによるものではないが、シャンプーをやめると改善することが多いそうだ。

人間も、以前に比べて湯シャンのみ、という人も増えている。ただ、これはこれで問題がある。皮脂を取りすぎるのは問題だが、毛髪と頭皮の汚れ、余分な皮脂、酸化した皮脂を除くことは必要だ。湯シャンでは皮脂が落ちにくく、余分な皮脂が残る。酸化した皮脂をまったく取り除かずにいると、毛穴をふさぎ、脱毛につながるサイクルに陥ってしまう。

では、純石鹸ならばどうなのか。純石鹸は、髪にろうそくを塗ったように油膜が残る。この油膜がくっついて髪がベタッとした状態になる。石鹸で洗っている人の中には、昨日洗ったばかりなのに、何日も洗っていないように毛髪がベタッとしてしまった経験があるだろう。さらに、適度な湿気のある頭皮や毛髪は、菌が繁殖しやすい環境でもあるため、髪に残った石鹸カスでバクテリアが繁殖し、不潔であることはもちろん、臭《にお》いもきつくなる。

もう一つは、環境問題。石鹸はパーム油を原料にしている。パーム油は、アブラヤシという西アフリカ原産の植物の実と種から取れる油である。世界で最も安価で、最も多く使われている植物油で、ポテトチップやインスタント麺、アイスクリームなどの加工食品にも使用され、日本は食用だけでも毎年60万トンほど消費されている。２０１５年には世界一生産されている植物油となっている。

ここで問題になるのが、森林伐採や生物体系の変化による環境破壊だ。アブラヤシは西アフリカからインドネシアやマレーシアにも持ち込まれ、アブラヤシ農園を造成したことで１９７０年代から急速にアブラヤシの栽培面積が拡大している。熱帯林を伐採してアブラヤシのみを植栽する。一見、緑が広がっているように見えるが、実際は、植物体系の崩れ、生き残れない生物が出るなどの問題が発生している。

アブラヤシ農園で働く労働者の人権に関する問題も発生している。労働者とその子供の医療や教育の不足、強制労働、児童労働などが報告されている。

もちろん、この動きを食い止め、持続可能な自然を残していこうと、アブラヤシ農園の拡大を抑制する、伐採した森林をケアするなどの動きも出ている。

日本の良質な石鹸メーカーは、このことを重要な問題と捉え、持続可能性のあるパーム油の生産と使用を目的とした国際的な非営利組織「ＲＳＰＯ（持続可能なパーム油のための円卓会議）」に加盟し、環境や労働問題に対応した製造に力を入れている。

それらをみても手指や食器、洋服などを中心に洗う従来の石鹸の量だけでなく、これまで以上に大多数の人が洗髪も石鹸を使用することになると、さらに多くのパーム油を必要としてしまう。石鹸は必要なもの。だからこそ、使うべきところ、使わずに対応できるところを考えていくことも、持続可能な世界にしていくポイントではないだろうかと私は思う。

私は髪の毛が健康な人には、数種のハーブをミックスさせた粉末を直前に溶かして使用することを勧めたい。ただし、傷んだ髪には適さない。水分が抜けてぱさぱさしている髪にはある程度の保湿が必要になるからだ（詳細は１９２ページ）。

7年間、髪を切らなければ自然に美しい髪がそろう

女性の髪がすべて生え変わるには時間が必要

髪の寿命は、女性7年、男性は4年から4年半だ。

人間の頭皮にはおよそ7万から15万本の髪の毛が生えているといわれている。通常は一つの毛穴から2、3本の毛が生えてくる。一定の時間が経つと自然に抜けて、しばらくすると、また新しい毛が生える。

大胆なことを言えば、傷んだ髪の人が7年間、何もしなかったら、傷んだ髪は順々に抜けて生え変わる。パーマやヘアカラーをしなければ、7年後は、美しい新生毛だけになっているはずだ。その人の持ち味が100％溢れた、長く、美しい髪になっているだろう。1か月1・5センチメートル、7年で126センチメートル。理論上は、7年間、薬品を使わ

ないと本来の自身の髪が甦る。

インドから日本に帰ってくると、日本人の髪が壊れているのがいつも以上に気になる。インドの女性は、髪型を大きく変える、短く切るという習慣はほとんどない。毛先を整えるぐらいだ。そういう髪は本当に美しく、生命力に溢れている。

傷んだ髪をヘナでコーティング

地肌を整えながら、新生毛が伸びるのを待つ

できる限り、私はワークショップに参加しているすべての方の髪を見て、アドバイスをする。きれいな髪の人には、きれいなのでそのまま続けてほしいと話す。ヘアカラーで傷んでいる髪の人には、よりわかるように「頭にボロ雑巾がのっているよ」と指摘する。

傷んだ髪の人には、「3年かけてきれいな髪に戻そう」と提案する。ヘナがそれを助けてくれる。ヘナの施術は、自分ですればいい。難しくない。自分ですると経済的にも負担が少ない。傷んだ髪は元には戻らないが、ヘナでコーティングして、髪の中から水分やたんぱく質が流出するのを食い止める。ヘナで地肌を整え、新たに生えてくる毛髪の成長を助ける。3年もすると、新たな地毛がある程度の長さになるので、傷んだ部分をカットする。

ワークショップの主催者には、年3回の開催をお願いしている。参加していただいた方の髪の変化を私はきちんと見ていきたい。初めて参加する人、何度も参加している人が同席することで、髪が変化していく過程をお互いに確認できるようになる。髪がきれいになっていく過程を、参加者同士が確認しあうことは、いろいろと話をするよりも説得力がある。

薬剤師として思うこと
――森田さんのワークショップに参加して

北九州在住　薬局薬剤師

髪を傷めてしまうカラー剤やパーマ剤を使うことが悪いと、本当はわかっていても、その方法で経済を回すしかない美容院のお話。

「魂を売って美容師をしているんだね」

森田さんの言葉。

「魂を売る美容師」には、背中に氷水を入れられたような衝撃があった。

自分だったらこの薬を飲むだろうか？

家族にだったら、「しっかり飲んでくださいね」と言うだろうか？

ときどき、悶々としながら薬を出す自分も、魂を売って仕事をしている美容師と似たものではないのか？

そんな疑問を抱えながら帰路に着いた。

「薄毛治療は病院へ」

このキャッチフレーズが市民権を得て、これまで、何か頭皮に塗ることで育毛していたＡＧＡ治療に、内服という選択肢が始まった。薄毛に悩む方々にとっては福音であり、効果が得られた時は、その恩恵に笑顔が生まれただろうと察する。

２００５年にプロペシア、２００６年にザガーロ。どちらも男性ホルモンを抑えることで、毛周期の成長期を延長させ、薄毛を改善する。

一方、この薬の添付文書（薬効や用量、副作用などの情報が記載された文章）には、こんな記載がある。

重要な基本的注意

・本剤を妊婦に投与すると、本剤の薬理作用（ＤＨＴ低下作用）により、男児胎児の生殖器官等の正常発育に影響を及ぼすおそれがある。

・本剤を分割・破損した場合、妊婦又は妊娠している可能性のある女性及び授乳中の女性は取り扱わないこと。本剤はコーティングされているので、割れたり砕けたりしない限り、通常の取り扱いにおいて有効成分に接触することはない。

割れた薬の中身を妊婦さんが触ることで胎児に影響があるかもしれな

い。添付文書という、販売元の情報提供によって不利益を回避できるようになっている記載ではあるが、皮膚に触れたものが体内にも影響があることを示唆していることには違いない。

そしてこの薬の副作用には、リビドー(性欲)減退(1~5%未満)、勃起機能不全、射精障害、精液量減少(1%未満)。薄毛が治る恩恵とともに残念なことも起こる心配もある。そこはパーマやヘアカラーをすることと同じ表裏一体。見た目の満足やおしゃれの裏には、頭皮から有害なものを浸透させているかもしれない。

経皮吸収剤

ワークショップでは、「シャンプーやカラー剤が体に吸収なんかされない」とおっしゃる方もいらっしゃる。でも、どうだろう。子供の咳が出る時に貼るテープ剤は、全身の血中を巡って咳を止める(このテープ剤の場合は、吸収されやすいように設計された薬剤である。そのことは誤解のないようにと思う)。

経皮吸収型製剤は皮膚に貼ることで、薬効成分が吸収され、血管を通って全身へ作用する。１９８０年代、狭心症のテープ剤を皮切りに、気管支拡張剤、ホルモン補充、アルツハイマー型認知症、癌性疼痛、高血圧、パーキンソン病、統合失調症、アレルギー性鼻炎と多様な疾患に利用されている。

経皮吸収剤の特徴は

・経口摂取が困難な小児や高齢者も使いやすい。
・肝臓を通らないため薬効成分が作用する器官に到達するまでに分解されにくい。
・貼っている間、血中濃度が保たれる。
・貼ったところが、かぶれるかもしれない。

皮膚に接触したものが、体の細胞一つひとつに浸透して作用する。経皮は人体最大の器官で、そこへの影響は計り知れない。

自然は美しい

薬物治療の恩恵は計り知れなくて、私たちは薬のおかげで治ったり、生きながらえたりする。ＡＧＡ治療も、パーマやヘアカラーも否定するわけではない。ただ、そこにある表裏一体を知って、理解してほしい。不自然や不要はないだろうか。

森田さんに出会って、私は意識が変わった。コンセプトである「自然は美しい」。大変な農作業であるヘナを刈り取る人々がいて、私たちは髪のきれいを実現できる。

食べたもので体が作られるように、日々、皮膚に触れるものも大きな影響がある。それがどこから来たのか、どのように作られたのか知っているだろうか。今、大きく時代が変わるなかで、私たち一人ひとりが何を選択するかが問われている。

第二章　美しい髪とそれを壊すもの

生まれ持った髪は個性が光り、美しい

頭髪のトラブルは美容業界が引き起こす？

「個性を生かす」とは、流行を真似することや、奇抜なヘアで自身が流行を作ることでもない。生まれながらに持っている自然な艶と張りを維持し、その人の生まれ持った髪の色、癖を大切にした髪こそが、その人を一番輝かせる。美容師になって40余年、多くの人の髪を見続けた結論だ。

美しい髪とは、エネルギー、いわゆる生命力に溢れていること。それを具体化させているうちの一つが、髪の艶と張りだ。艶と張りは、「水分、油分のバランスが取れ、髪を構成しているたんぱく質が傷ついていない状態」から生まれる。艶と張りのある髪に大切なのは、清潔で健やかな頭皮、頭皮からの酸素、体内の血管からの酸素などの栄養分である。
食事や睡眠、適度な運動のバランスが崩れると、血管から吸収する酸素と栄養分に問題が生じる。パーマやヘアカラーをすると、せっかく美しい髪が育っていたのに、たちまちに髪のたんぱく質が破壊され、水分のバランスも崩れる。それを修正しようとトリートメントをすると、トリートメント剤に含まれる保湿成分により髪が汚れやすくなり、洗髪回数が増える。結果、頭皮の皮脂膜のバランスが崩れる。

今、美容院で行われているヘアケアは、美しい髪を保つこととは、逆のことが行われている。もっとも、『大辞林 第三版』(三省堂)によると、美容院は「パーマ・結髪・化粧その他美容術を施し、主に女性の容貌を美しく整えることを業とする施設」とあるので、美容院の仕事としては問題ないのかもしれない。生命力のある生花ではなく、ブリザーブドフラワーのような人工的な美しさに、惹《ひ》かれる人もいるのだから。

だが私は、いま多くの人が薄毛に悩んでいることを考えると、その原因を作り出しているヘアケアの方法に問題があることを見過ごすことはできない。自然のままの美しさを大切にしていたら、悩むことのなかった問題に直面しているのだ。ヘアカラーをする人の方がおしゃれである、スタイリッシュであるというのは、CMのイメージに踊らされていることにほかならない。そのことに気づいてほしい。

パーマやヘアカラー、余計なトリートメントをやめる、洗髪方法を見直す。このことは、髪の美しさだけでなく、体を健やかに保ち、地球の環境を守ることにもつながる、とても大きな課題であることを忘れてはならない。

外部からの衝撃を防ぎ、体内から重金属などを排出する

頭髪の役割は多岐にわたる

髪は神。それゆえ、その役割も重要だ。ファッションのためだけではない。一つは、髪の毛が集合していることで、外部からの衝撃を防ぐ、ヘルメットのような役割を持つ。二つ目は、直射日光が頭を直撃するのを防ぎ、極端な暑さや寒さなど、厳しい環境から脳を守っている。三つ目は、髪の毛の成分から体内に蓄積された体に害を及ぼす重金属を外に排出。

毛根からは、ミネラルバランスなどを知ることができる。カルシウムやリンなどのミネラルバランスだけでなく、水銀や鉛などの有害な重金属をはじめ、性別や年齢の推定、脱毛の原因、血液型、ＤＮＡ、病歴などの情報も髪の毛から得ることができる。

80〜90%はたんぱく質。毛細血管が運んでくる栄養で成長

髪の構造を知る

一本の髪の毛は、いわゆる私たちが髪と呼ぶ部分「毛幹」と、頭皮の内側にある部分「毛根」から構成されている。髪と呼んでいる毛幹の構造は、大きく言うと、その中心部からメデュラ(毛髄質)、コルテックス(毛皮質)、キューティクル(毛小皮)の3層からなる。

メデュラは柔らかなたんぱく質が主成分。機能についてはまだ不明なところも多いが、外からの刺激などで空洞ができやすく、空洞になると通り抜ける光が散乱し、髪が白っぽく色褪《あ》せて見える。

コルテックスは、たんぱく質の成分であるアミノ酸が結合したケラチンが主成分で、システインというアミノ酸結合成分も15%ほど含んでいる。それらが集まった繊維の束であり、毛

の85〜90%を占める。髪の色を決めるメラニン色素と、毛髪内の水分を一定に保つCMC脂質があり、髪の色や潤いを左右するところである。

キューティクルは、髪の一番外側にあり、内部を守る役割を果たしている。根元から毛先に向かって、無色透明な細胞がうろこのように重なり合い、外部の刺激から内部を守る。キューティクルがきれいに重なり合うことで、艶を作り出す。

頭皮の内側の部分は、毛根の根元には玉ねぎ状に膨らんだ「毛球」があり、その内側には「毛乳頭」がある。毛乳頭で毛細血管が運んでくる栄養を取り込み、毛球にある「毛母細胞」に与え、毛母細胞は分裂を繰り返し、次々に細胞を押し上げて毛が成長する。髪の成長には頭皮の状態が大きく影響することになる。

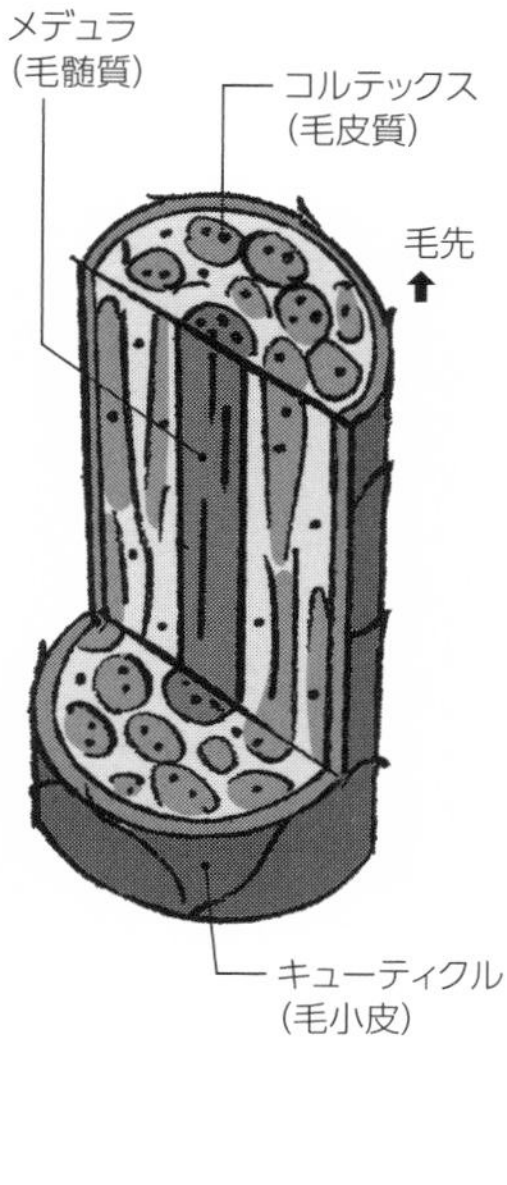

パーマ剤の成分は、脱毛剤にも使われている

髪が薄くなるきっかけにもなる

パーマは、髪を構成しているたんぱく質の結びつきをパーマ液によって一度壊し、ウエーブがつくように曲げた(ストレートの場合はまっすぐにした)状態で、再び結合(結合がSとSの結びつきに似ていることからSS結合と呼ばれている)させる。

パーマ液には1剤と2剤の溶液がある。1剤で、1本の髪の毛の90%を占めるコルテックス(毛皮質)の繊維状の束を結合させているシスチンの結びつきのSS結合を一度壊す。次に2剤を使い、切断したシスチン同士をねじれた状態で結合させ、ウエーブがかかった(ストレートの場合はまっすぐにした)状態で固定する。

さて、ここで使用されている1剤、2剤の危険性について、施術前にきちんと説明してい

る美容師はどのくらいいるだろうか。お客様の体調を伺って、中止にした方がいいと判断し、それを伝える美容師はどのくらいいるだろうか。

1剤はチオグリコール酸などをアルカリ剤で溶かして使用。チオグリコール酸は脱毛剤にも使用されている薬剤である。2剤は臭素酸ナトリウムや過酸化水素などを溶かして使用する溶剤。ほかに、クリーム状に薬剤を混ぜ合わせるために界面活性剤も必要になる。ヘア商材に使用されている界面活性剤は石油系で作られた合成界面活性剤。肌のバリアを壊してしまう力があるため、薬剤が体内に浸透しやすくなってしまうなど、危険を伴う。

薬品については、マテリアルデータシートでの検索方法なども記載しているので、そちらを参照していただき、自分自身で調べてほしい。自身で調べることで発見することがあるはずだ。知れば、パーマを施術中に、コーヒーやお茶を気軽に飲めなくなるかもしれない。気化した薬剤を口から吸うことは、避けなければならないからだ。

アルカリ剤や過酸化水素はヘアカラーでも使用される薬剤で、アルカリ剤はキューティクルを開くので、毛髪から水分やたんぱく質が流出し、髪がぱさぱさになる。過酸化水素はメラニン色素を壊す働きがあることから白髪が増える原因にもなる。

また、加温二浴式系溶剤以外のパーマ液は、第1剤を毛髪に塗布後、ドライヤー、ウォーマー、スチーマー、赤外線等により加熱して使用しないよう注意している。毛髪を著しく傷めたり、断毛や皮膚障害等を起こすおそれがあると日本パーマネントウェーブ液工業組合HPの「パーマ剤の使用上の注意自主基準」(平成12年7月13日改正)にある。本来は加温してはならないと記載されているのである。

とはいえ、パーマを施術中に、円盤形や2本の長方形の機械で温める、あるいは、温かいミストを受ける経験をした人は多いだろう。なぜか。薬剤の浸透を速め、時間短縮になるからだ。危険を避けることよりも、効率優先になってしまっているのだ。ナノ化した温かなミストをかけることで、薬液はとても速く髪に浸透する。ということは、経皮吸収も速くなるように思う。

パーマ施術中の加温は、美容師が不勉強である場合と、知っていながらお客さんの回転率を上げ、効率よく利益を出したいと意図的に行っている場合の2通りがある。使用する機材はとても高価であり、経営の負担になっている事情もある。無知も意図的も罪深い。髪への負担だけでなく、体への負担になっていることを忘れてはならない。

化学物質によるヘアカラーは、メラニン色素を壊す

白髪が増える原因に

髪を染めるには、大きく分けて永久染毛剤(医薬部外品)、半永久染毛料(化粧品)、一時染毛料(化粧品)がある。永久染毛剤(医薬部外品)はヘアカラーや白髪染めなど。半永久染毛料(化粧品)はヘアマニキュア、一時染毛料(化粧品)はヘアカラースプレーなどだ。医薬部外品と化粧品の違いを説明しておこう。

医薬部外品、有効成分配合の染毛剤というと、髪に良く、体にも負担のないように感じるかもしれない。しかし、そうではなく、医薬品のように取り扱いに注意をしなければならない薬剤であり、「有効」はヘアカラーで言えば、化粧品よりも色もちがいい、長いなど、「髪を染める」という目的に対しての効果のことを言う。

いわゆるヘアカラーや白髪染めは、1剤と2剤を混合させて髪に塗布する。1剤は酸化染料とアルカリのトリートメント剤。2剤は過酸化水素、アルカリ剤とトリートメント剤。1剤の酸化染料として使用されるのが、パラフェニレンジアミンやパラアミノフェノールなど。1剤のアルカリ剤が髪の毛のキューティクルを開いて、内部に染料を浸透させやすい状態にする。2剤の過酸化水素は、日本では6％まで配合が認められている。「認められている」ということは、逆に言えば、それ以上使うと危険ということだ。過酸化水素はメラニン色素を分解して脱色させ、1剤の酸化染料を酸化し、発色させ、定着させる役割を担う。

アルカリ剤が髪のキューティクルを開くことによって、中の水分やたんぱく質(アミノ酸が結合したケラチンやシスチン)が失われてしまい、髪の毛が、ぱさぱさと傷んだ状態になる。髪の核の部分が失われていくのだから、髪からエネルギーを感じることができなくなるのも当然のことだろう。

薬剤の中で、アレルギーの発症事例が最も多いのが、1剤で使用される酸化染料のパラフェニレンジアミン(通称ＰＰＤ)である。ＰＰＤは、髪が傷むのはもちろんのこと、頭皮が腫れる、ぶつぶつができるなどの症状、さらには顔が腫れる、呼吸困難を引き起こすなど重篤な症状があらわれることがある。消費者庁のＨＰに事例が掲載されているので、こちらも後半の資料編（２２１ページ）を参照してほしい。

２剤で使用の過酸化水素は漂白剤にも使用されている成分で、髪の中にあるメラニン色素を壊して脱色させるだけでなく、色素を生成するのに必要な酵素チロシナーゼまで壊すといわれており、使用を繰り返していると、髪の色を保つのが難しくなってしまう。ヘアカラーをすればするほど、髪は傷み、白髪が増えることになるのだ。

「自然派ヘアカラー、オーガニック植物を96％使用」と看板を出す美容院もあるが、たとえば、あとの４％が過酸化水素であったら意味がない。

「残りの４％は何を使用しているのですか」

オーガニック96％を推奨する美容師に、ぜひ質問してほしい。

化粧品扱いのマニキュアは、脱色せずに表面をコーティング

成分のタール系色素に問題あり

ヘアカラーや白髪染めなどのような医薬部外品の永久染毛剤とは異なる、化粧品の半永久染毛料・マニキュアであれば安全なのだろうか。答えは否だ。

マニキュアは、永久染毛剤のように、薬剤でキューティクルを広げて中に薬剤を浸透させ、メラニン色素を壊し、入れた染料を酸化させて発色させるという方法ではない。あくまでも髪の表面に色をコーティングする方法である。髪の傷みは、永久染毛剤に比べると少なくなるが、赤２２７、黄２０３、青1などのように記載されているタール系色素は発がん性も指摘されているので、できれば避けたい。

ヨーロッパでは禁止されているものも使われていることもあるので、注意が必要だ。

トリートメントはダメージをさらに広げる

頭皮の環境を壊す

美容師としてスタートしてしばらくした頃、パーマやヘアカラーをしてくださるお客様の髪が、どんどん傷んでいくことに悩み、私は先輩に相談したことがあった。

「大丈夫だ。気にするな。トリートメントがあるじゃないか」

私は傷ついた髪を、トリートメント剤を使うことでなんとか回復させたいと考え、いろいろと試みた。だが、満足のいく結果は得られない。これは駄目だと思った。

調べていくと、それは当然のことだった。トリートメントに含まれる添加物やコーティング剤により、一時的に髪に艶があらわれ、手触りも良くなる。だが、髪自体が回復しているわけではない。回復どころか、頭皮の状態を悪化させることになる。

トリートメントに含まれている保湿剤により、髪に汚れがつきやすくなり、ベタッとする、匂いが気になるなど、頻繁にシャンプーをする必要が生じる。シャンプーを毎日すると、頭皮の脂を取りすぎてしまう。皮脂量の少ない頭皮は、紫外線などの外的なストレスの防御が弱くなる、頭皮の水分が必要以上に蒸発するなどが生じる。

頭皮の皮脂膜のバランスが崩れていることに気がついた体は、脂を出し始める。すると今度は皮脂膜が厚くなり、毛穴をふさいでしまう。これが抜け毛や縮れ毛の原因になる。トリートメントはまさに余計な一手間なのである。

トリートメントが引き起こす負のサイクル

負のサイクル

7⬅6⬅5⬅4⇦3⇦2⇦1

1 美容院でトリートメントを施術
2 保湿力が強いので、髪に汚れがつきやすくなる
3 シャンプーの回数が増える
4 洗いすぎにより、頭皮の皮脂を取りすぎ、皮脂膜がなくなる
5 頭皮は紫外線などから直撃を受ける(肌荒れやかゆみなど)
6 頭皮を守るために、体から脂が過剰に分泌される
7 もっと洗浄力の強いシャンプーを求めるようになる

化学物質による白髪染めは美容院にとって大黒柱

薄毛、そしてかつらへの第一歩

白髪が生え始める時、全体に均等に少しずつ出てくるのは加齢のためだが、部分的に集中して生えているときは、体の不調が隠れていることがある。

美容師としてお客様の髪に接する機会が多いと、白髪の生え方に特徴があるのに気がつき、どうしてだろうと思った時があった。ちょうど暉峻登志子さんという東洋医学の研究者との出会いがあり、白髪が集中して発生する場所と体の不調には関係があることを知った。その後、暉峻さんご本人から直接学ばせていただいた。

白髪が、ある部分に集中しているお客様に体調を尋ねると、やはり白髪が集中している場所と、体の不調に関係があることが多かったのだ。

白髪になると、それを隠すためにヘアカラーを始めるようになる。しかも、生え際から白髪が出てくると、すぐに美容院に行く習慣ができる。美容院にとっては、とてもありがたい存在だ。だが、ヘアカラーや白髪染めをすることで、ますます白髪が増え、髪は傷つき、頭皮の状態も悪くなる。薄毛が進み、禿《は》げてしまい、かつらが必要になっていく。これが美容院の仕事だとすると、虚しいではないか。

体の不調をも引き起こすヘアカラーとパーマ

経皮吸収の事実が明らかに

ヘアカラーやパーマの薬剤が髪を傷めるだけでなく、頭皮から吸収されて全身に回り、体調不良を引き起こすのではないか、と確信したのは、1988（昭和63）年4月3日の朝日新聞朝刊の記事を見た時だった。

その記事は、毛染めを使うことで再生不良性貧血を引き起こす可能性があるという調査結果だった。調査対象となった再生不良性貧血患者960人のうち、毛染めをしていた約2％に当たる19人が毛染めと何らかの関係があると判定され、毛染めをやめさせる、または、やめたうえで治療を行ったところ、2人が治癒し、14人の症状が軽くなったという結果が出た、という内容だった。

この記事を見た時、かねてより、ヘアカラーやパーマの薬剤で傷むのは髪の毛だけでなく、頭皮から浸透して体へも悪影響を及ぼすのではと心配していたことが、やはり現実であったのだと思った。

記事の出た１９８８年は、日本初の経皮吸収技術を用いた貼付剤である非ステロイド性鎮静消炎剤「アドフィード」（リードケミカル株式会社）が登場した年でもあり、経皮吸収で体内に吸収させる薬剤が本格的となった時期でもある。

遡ること８年前の１９８０年、シャンプー剤のメーカーの営業マンに、毛根がついている抜け毛から梅毒などの病歴を判断できるという、写真や資料を見せてもらったことがあった。その写真は警視庁の資料であり、毛根は捜査に使用されていると説明を受けた。私が美容学校を卒業して最初の美容院に入店して１、２年目のことだった。

この写真を見た時、パーマやヘアカラーをしたお客様の髪が傷んでいくのを目《ま》の当たりにしていた私は、「髪の毛が傷んでいる理由が、パーマやヘアカラーの薬剤であるなら、その薬剤が頭皮から体に入り、体をも傷つけることになるのではないか」という考えが浮かんだ。

その頃はまだ日本では一般的に広まってはいなかったが、アメリカでは１９８０年からミネラルバランスを測る毛髪検査が始まっていた。体の中のミネラルバランスを髪の毛で検査。

足りないミネラルは何かを見極め、栄養バランスを整える。それだけでなく、水銀やヒ素、鉛など体内に取り込んだ有害物質がどのくらい蓄積しているのかなども明確になるという。それら有害物質が髪の毛から排出されるからだという。その話を聞いて「排出されるのだから、頭皮から薬剤が入っていかないわけはないではないか」という考えが浮かんだ。

だが、その仮説をどうやって実証したらいいのだろうか。まずは、さまざまな現象をあぶりだすこと、関連する資料を集めることから始めようと思った。その日から、お客様に、パーマやヘアカラーをした後の体調のことなどを必ず確認し、関連する書籍などを読み込んだ。そんな日々を過ごしていた時に、この朝日新聞の記事を見た。

「いよいよこの問題が実証される時がきた」と思った。

この記事の内容について、美容師の先輩にも意見を求めた。ヘアカラーやパーマの薬剤が髪や頭皮への及ぼす影響についてどう思うかと。だが、明確な答えや、この記事を受け、今後どのように対応していくべきかなどの考えを聞き出すことができなかった。というよりも、関心がないように感じた。

本当のことを知りたい。

経皮吸収について、自分で徹底的に調べようと思った。

古《いにしえ》から、茜染《あかねぞめ》は通経薬、浄血作用、消炎の効果があるといわれ、赤ちゃんの産着や女性の腰巻など直接肌に触れる衣類に用いられていたという。いわば、経皮吸収に頼ることは昔から考えられてきたことと言えるだろう。

ひたすら書物を読み、資料を探る。経皮吸収については、皮膚科学を学ばないと駄目だと思った。その時ほど、大学に行きたいと思ったことはなかった。しかし、それは経済的にも許される状況ではなかった。

自身で、書物を頼りに学ぶ。ここで私を助けてくれる人があらわれた。お客様の中にイギリスの大学で学び、当時からパソコンを自在に使う貿易関係の仕事をしている人がいたのだ。この方に、資料の調達など、たくさんお世話になった。「ヘナ」について調べる時も、力になってもらった。

パーマやヘアカラーに使用する薬剤を調べれば調べるほど、髪だけではなく、体をも蝕《むしば》むのだという結論に至った。使ってはいけないものである、という思いは大きくなっていった。同時に、パーマやヘアカラーを施術することで対価をいただく商売って何だろうか、という疑問が生まれた。

一瞬の美しさ、流行を追っているハイセンスな人という幻想とともに、髪は傷む。傷んだ髪をなんとかしなければ、と美容院に行く。施術の回数が増える。美容院は安定収入を得る。安定収入を得る美容師も、毎日薬剤に触れる危険な環境で仕事をしていることになる。誰も得をしないではないか、と。

１９８８年、私は、パーマやヘアカラーを行うことを一切やめることにした。傷んだ髪をどうしたらいいのか、80年代半ばから使用を始めていたヘナに、本格的に頼ることにした。

パーマやヘアカラーが体に良くないのではないかと疑い始めた頃、その問題に取り組む人はほとんどいなかった。おかしなことを言う奴と好奇の目で見られることもあった。だが今や、政府広報オンラインでも「ヘアカラーによる『かぶれ』に要注意！ アレルギーが突然発症することも」（２０１９年）という記事が掲載されている。

そこには、ヘアカラー（永久染毛剤）について、一度でも、かぶれやかゆみを経験したことがある方は、絶対にヘアカラーをしないことを伝えている。また、腎臓病や血液疾患などがあるなどの人へも注意を促し、傷や皮膚病のある人も避けた方がいいという伝え方もしている。妊娠中や病中や病後の回復期、体調不良の時、月経など出血が止まりにくい時も、避けた方がいいことを伝えている。

さて、美容院で、ヘアカラーの施術前に、このような注意を受けた方はどのくらいいるだろうか。

　また週刊誌でも白髪染めの危険はしばしば扱われるようになっている。『週刊現代』（２０１８〈平成30〉年5月5日・12日号）では、「危険物質まみれのものも…！　日本の『白髪染め』は危ないかもしれない――海外では使用禁止の成分も使われていた」という記事が掲載され、含まれている化学物質には「肝臓疾患を引き起こす危険性があること」、隣国の中国でも問題になっており、「慢性の肝機能障害を患っている（略）原因が、（略）10年前から続けていた白髪染めにあった」ということも紹介されている。

　私がヘアカラー剤の危険を感じた１９８０年代後半、大きな声でそのような注意を言える雰囲気はなかった。時代は確実に変わってきている。

　ヘナのワークショップを本格的に開始した２００９（平成21）年より、ヘアカラーの薬剤の影響で肝臓の数値が悪くなる人がいることも、話してきた。ある時、お母さんの肝臓の数値が悪いことをずっと気にされていた参加者が、ワークショップ後に
「母に白髪染めをやめてもらいます」
と話してくれた。その話をしてから4か月後、次のワークショップの時に、
「母の肝臓の数値が良くなったんです」

と声をかけてくれた。
それから3年が過ぎた時、わざわざ病院の血液検査データを持ってきてくれた。数値を見ると本当に改善されていた。一例なので、これだけで絶対とは言えないが、体調が回復しているという報告をいただけることは、とてもうれしいことだ。

ワークショップを始めた頃は、「経皮吸収とは何か」から説明しなければならないこともあった。だが、今ではそのことを知らない人はほとんどいなくなった。医療の面で、塗り薬や貼るニコチンパッチなど経皮吸収を活用した薬が一般的に知られることになったことも大きいだろう。現在は、介護の現場で、高齢者が誤嚥《ごえんせい》性肺炎を避けるための方法として、経皮吸収剤が注目されているようだ。

1967年にFeldmannが発表した、「人におけるステロイド外用薬の部位別経皮吸収率」の報告(Feldmann RJ, et al. J Invest Dermatol. 1967)を見ると、頭皮や額は手の平や足の裏よりも吸収率がいいことがわかる。もし、石油系の界面活性剤の使用しすぎで皮膚のバリアが崩れていたら、さらに吸収率は上がるのではないかと思う。

ヘアカラーやパーマに使用する薬剤は髪を傷めるだけでなく、体を蝕んでいることを受け止めたうえで、今後、どうしていくのか、一人ひとり判断してほしい。

1967年 人におけるステロイド外用薬の部位別経皮吸収率

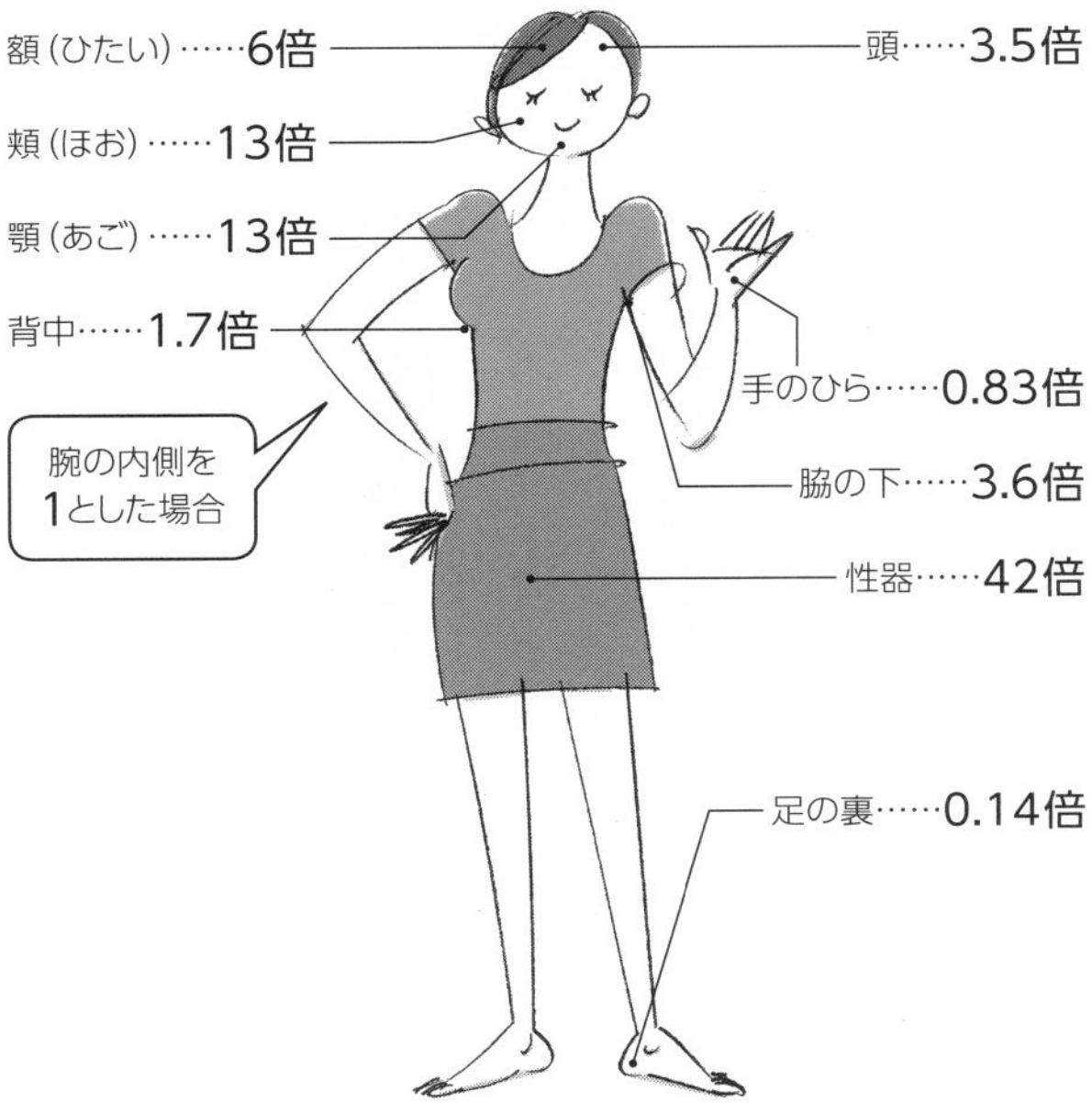

第三章

負のサイクルで経済を回す美容業界

美容院は全国約25万店舗（2019年現在）

コンビニエンスストアの約5倍

2019年現在、美容院は全国に約25万店舗（2019年10月31日発表　厚生労働省　平成30年度衛生行政報告例）で前年比3562店舗増。東京だけでも2万店舗以上ある。全国のコンビニエンスストアが5万5688店舗（2019年11月日本フランチャイズチェーン協会発表）と比べると、コンビニの4・5倍の数の美容院があるということだ。いかに美容院の数が多いのかがわかる数字だ。美容院の生き残りが大変なことがわかるだろう。ここにきて、新型コロナウイルスの影響で自主的に臨時休業をしたところもあるだろう。予約は7割減ったところもあるという。店舗の家賃などの固定費を支払うと、危機的状況になる。

実は美容院の倒産ラッシュは新型コロナの前から始まっている。2018年度、美容院の倒産は105件、1989年以降30年間の中で過去最多を更新。事業停止した休廃業・解散も2018年度は317件と前年の264件から増加した。（東京商工リサーチ調べ）

このような生き残りの激しい時代にあって、経営者はいかに効率よく利益を出すかということで頭はいっぱいになる。その方法として、

○カットは月に1度が理想的と勧める。

○ヘアカラーやパーマなど薬剤を使う施術を勧める。

○傷んだ髪にはトリートメントが効果的と勧める。

トリートメントを勧めてくるような、傷んだ髪にしたのはいったい誰なのか？

ヘアカラーやパーマを勧め、傷んだ原因は棚に上げて、今度はトリートメントを勧める。トリートメント剤によるつやつや、さらさらはほんの少しの期間。ほどなく地肌の状態の悪化を招き、ますます髪の傷みは進むだけ。艶のない髪にすぐに戻る。

ヘアカラーをして傷んでいる髪は、キューティクルがはがれ、内部の空洞化も進んでいるため、染料がとどまりにくく、褪色しやすくなる。結果、ヘアカラーをする間隔が狭まってくる。髪の傷みはますます激しくなるので、トリートメントは必須になる。美容代はどんどん膨らんでいく。

ヘアカラーを施術して1か月もすると、頭頂部から地毛が生えて美容院に行くという負のスパイラル。ヘアカラーは回数を重ねると髪の傷みが進むので、トリートメントが必要になる。髪が傷んでいると褪色も速くなるので、美容院に行く回数が増える。

髪が壊れたら見せかけだけの修復をして、さらに傷みが進み、それをカバーするために施術を増やしていく。白髪のお客様は美容院にとってはありがたい。ヘアカラーを途中でやめる心配はいらないのだから。

薄毛、かつらへの道

流行を追ったヘアカラーやパーマでおしゃれに

うん？　髪がなんだかぱさぱさ、枝毛も増えている

ヘアカラーやパーマをしたら髪に艶が戻ってきたわ

髪のぱさつきが
どんどんひどく
なっている。枝
毛だけでなく、
抜け毛も……

美容院でトリー
トメントをした
ので、もう安心

美容院に行った
ばかりなのに、
もう髪がぱさぱ
さ。髪の量も
減ったみたい

美容院に早く行
きたい。パーマ
でボリュームだ
して、ヘアカラー
で白髪を隠そう

おかしい。髪の
毛の分け目も地
肌も目立ってき
ている。髪は縮
れているし……

育毛剤でしっか
りケアしないと

まさかかつらが
必要になるとは
……夢にも思わ
なかった

パーマとヘアカラーは同じ日に施術してはいけない

正しい説明を受けたことはありますか?

ヘアカラーとパーマを同じ日に行う美容師がいたら要注意だ。同日に施術することは薬機法で禁止されており、日本パーマネントウェーブ液工業組合の「パーマ剤の使用上の注意自主基準（平成12年7月13日改正）」（221ページ参照）でも1週間は間隔を開けるべき」と記している。

もし、お客様から「何度も来店したくないので」と希望があったとしても、しっかりと説明をして断るのが、本来の美容師の姿である。お客様の希望を聞くことが、お客様のためになっているとは限らない。お客様をひととき満足させることが、親切な対応ができる美容師ではない。それをすることは、長い目で見ると、お客様にとって負の結果しかないのだから。美容のプロであるという自覚と志をしっかりと持つことが大切だ。

お客様は、ヘアカラーやパーマの薬剤がそれほど危険を伴うものだとは自覚していない。髪をきれいにしたい、という思いで美容師の仕事に就いた人も、経営が厳しくなると、いかに利益を出すかという考えの方が強くなる。これは大変残念なことだ。

なかには美容商材を届ける美容ディーラーの説明だけを鵜呑《うの》みにし、ヘアカラーやパーマの薬剤はそれほど危険なものではないと認識している美容師もいる。だからこそ、ヘアカラーやパーマの施術を増やすことを平気でできるという背景もある。美容師は、もっと勉強をするべきだ。

化学物質のヘアカラーやパーマ剤は環境破壊にもつながる

気軽に下水に流していいものではない

化学物質の薬剤を平気で下水に流している状況も問題だ。私は著書『最高のヘナを求めて』（茅花舎　2017年発行）で、南青山にある平田肛門科医院の平田雅彦先生に化学物質の体に及ぼす影響について、お話を伺う機会をいただいた。ヘアカラーやパーマ液を、使用後そのまま下水道に流すことも問題視されていた。「もし、同じような薬剤を病院で使用した場合は、そのまま排水口に流すことができない薬剤だ」と教えてくれた。25万軒の美容院から、毎日、化学薬剤がどんどん流されていることを考えると、これは地球に大変厳しい状態だと思う。平田先生も補足していらっしゃるが、私たちは化学物質の恩恵も受けているので、0にすることはできない。だからこそ、必要以上に使用することは、絶対に避けるべきだ。へアカラーやパーマは使用しなくても問題ないのだから、いや、むしろ使用しないことが、髪にも、頭皮にも、体にもいいのだから。

持続可能な社会を目指す、SDGs（Sustainable Development Goals〈持続可能な開発目標〉）が2015（平成27）年の国連サミットで採択され、国連加盟国は2016年から2030年の15年間で実行しようと掲げた。目標にある、「つくる責任 つかう責任」「海の豊かさを守る」を考えた時、全国約25万軒の美容院が、日々、使用したヘアカラー剤などを、多量に下水に流していることは、大きな問題である。

負の連鎖を断つために化学物質のヘアカラーやパーマをしない選択

一時的に収入は減るが、道は必ず開ける

私自身のことを言うと、１９８８(昭和63)年、ヘアカラーやパーマの施術を一切行わないことを決めた直後は、やはり経営はとても苦しかった。でも、この道以外にないと思い、信念を通すために、収入が足りないところは、ほかの業種のアルバイトをして乗り越えた。苦しい時を乗り越えると道は開けた。

今、新型コロナの問題が発生してからも、新規のお客様は増えている。「外出自粛期間に、ネットで情報を集めていたところ、ここにたどりついた」と話す人が何人もいる。大々的に広告を打つなど、派手な活動をしていたわけではない。正攻法の地道な活動しかしてこなかったが、それが実を結んでくれた。

常連のお客様には日頃から「美容院に来る回数は少なければ少ないほどいい」と伝えている。しばらく来店されなくても、髪がまとまらなくて困ることのないように、デザインとメンテナンスに関するアドバイスを必ずしている。

それなのに、

「そろそろ行きたい」

と言う常連さんがいる。

「まだ大丈夫だから！」

こんな会話が普通に行われている。

思考を変えることで、新たなビジョンが生まれる。これにより習慣が変わる。そして未来が大きく変化する。

薬剤の犠牲になり 職を離れる決断を迫られた美容師

——ある女性美容師がヘナ専門美容師として再スタートするまで

私の美容院である「Kam・idoko」のスタッフとなった女性美容師は、2019年に独立して、カットとヘナ専門の美容院を自身で開いた。

彼女が私の美容院に入店するきっかけは、自身の体調の変化によるものだった。青山にある人気の大手美容室に24年間勤務し、店長という役職にあった。ところがある日、体じゅうに湿疹、黒い斑点が出た。肉体も精神も病み、お店に出たり出なかったりする日々が続いた。

彼女は、自身の体調不良を医師である父や兄にも相談できなかった、と。相談すれば、投薬での治療が始まるのがわかっていたので、それを避けたかったと。誰にも相談できずに、一人で悶々としていたそうだ。

美容院で使う薬剤が体に異変をもたらしているのではないか、頭のどこかにそんな思いがあったそうだ。

「今から考えると、体と心が薬剤に対して自然と拒絶反応を起こしていたんだと思います。ただ、そう思いながらも、自分の中で状況をきちんと整理できず、混乱していたんだと思います」

彼女は、そう話してくれた。

誰にも相談できなかった彼女は、自身で調べて都内の有名な皮膚科にも通ったそうだ。ひとときは良くなるのだが、仕事をしていると間もなく再発する。

その後、代替医療であるホメオパシーの医師の診察を受けることになった。そこで、「原因は美容院で使う薬液ではないか」と指摘されたのだという。以前から自身ではそうではないかと思っていたことを、ずばりと言ってもらえたことで、彼女の心がようやく楽になっていったようだ。

その指摘を受けるまでは、空気、音、匂いなど生活空間すべてに、とても敏感になっていたようだ。少しでも自分の体に合わない匂いなどを感じると、途端に具合が悪くなり、倒れ込んでいた。ホメオパシーの先生より処方された治療薬（レメディ）にさえも体が敏感に反応しすぎて辛くなり、続かなかった。少しの環境の変化でも倒れ、服用を中断する状態だったとのこと。だが、美容院で使う薬剤のことを指摘されてから、少しずつ症状が改善されるようになったそうだ。

ホメオパシーの先生が「Kamidoko」の顧客だったことから、「Ka

m・i・d・o・k・oに行ってみたら」と勧められ、彼女はヘナをするために私の美容院に通うようになったそうだ。ただ、ヘナの施術は当時いた女性(彼女も現在、独立してヘナ専門のサロンを開いている)が担当しており、私とはあまり会話をした印象はなかった。何度か来店したのち、私宛の手紙を携えて来店した。

自分の体がおかしくなったこと、その理由が美容院で使用している薬液ではないかと考えたこと、「K・a・m・i・d・o・k・o」で働きたいと思ったことが綴られていた。彼女が美容院に勤めていた時、「パーマやヘアカラーの薬剤に問題があるのでは」と考えたことはあったが、日々の忙しさ、目の前の仕事をこなすことに精一杯で、その疑いを解明しようと一歩踏み出すことができなかったとも書かれていた。

彼女と同じような経験をしている美容師はたくさんいる。

パーマやヘアカラーで髪を壊して、トリートメントで修復できるように思わせ、また壊す。こんな負のスパイラルの中でビジネス展開をしていると、それ以外は方法がないように思えてくるのだ。

考える時間も体力も奪われているのが、今の美容院業界の労働環境でもある。

新人の美容師は、時給計算したら390円ぐらいかもしれない。午後7時までが営業時間だとしても、そこからパーマやヘアカラーを始めると、最後のお客様が終わるのが午後9時から10時。そのあとに練習を始め、最後に掃除をする。翌朝は8時に出勤。そんな生活サイクルが毎日続いたら、美容師の仕事の回し方はその方法しかないと思うようになる。

話を彼女に戻そう。

「ヘアカラーやパーマをしている美容院で24年間も働いてきたあなたを、お店に入れるのはリスクでしかない。現在のスタッフでお店は回っている。技術者の給料をもう一人分用意するのは、経営面ではマイナスでしかない。ただし、実験としておもしろいと思う。これまで私のワークショップに参加された美容師の中には、ヘアカラーやパーマはもうやめますと一度は言うのだが、しばらくして、やはり経営を安定させるためにはやめられない、と戻ってしまう人もいた。ヘアカラーやパーマを施術する美容師として24年のキャリアのある人が、ヘナとカットだけの美容師として再スタートすることができるのか、私としても挑戦だと思う」

彼女の「働きたい」という思いに、そう伝えた。さらに、

「ただし延々といられると、私の人生設計、ビジネス設計がぶれてくる。できれば3年間で独立すると考えて、日々の仕事に取り組んでほしい」

こんな条件をつけた。

彼女のお客さんは、もともとはヘアカラーやパーマをしていた方が多いだろう。彼女のもとに、カットだけをお願いする人、ヘナとカットをしたい人、ヘアカラーやパーマをしているけれどヘナをしたい人など、いろんなタイプのお客さんが来るだろう。その方々に、カットだけ、もしくはヘナとカットだけの施術をすることにしたら、どんな反応をするのか。そんなことも実体験できる機会だと感じた。

幸いなことに彼女の古くからのお客様から

「髪がきれいになりました。ここに来ることができて良かった」

そんな声を聞くことができた。

彼女がいた青山の大手美容院でも、ヘナの施術はやっていたそうだ。だが、ラクシュミーのヘナとは使用感はかなり違うと感想をもらった。弊社のヘナの良さも実感してもらえているようだ。

辞める時は彼女のお客さんはすべて彼女のところへと最初から話した。そうすれば経営者として独立する時に、最初から数字が見込める。私は彼女に、独立の仕方、経営の方法をすべて伝えた。

彼女は約束どおり3年で独立した。今、彼女のヘナの仕入れ方を見ていると、ヘナとカット専門の美容院を、まっすぐにやっていることがわかる。

これから経済が疲弊していくように思う。今までのようにパーマやヘアカラーを柱に経営していけば、おそらくうまくいかないだろう。お客様との共生を考えないと駄目だ。体に負担をかけず、髪を壊さずに美しい髪を追求する経営をする。

ヘアカラーとパーマを施術する美容院を経営していた人が、ヘナとカット専門の美容院の経営者としてスタートすると、最初は経営が厳しい。ヘアカラーやパーマという大黒柱がなくなるのだから。経営の厳しさに直面して、理想を追求しなくなる。

「ヘナとカットのみでやるのだ」、という気持ちが揺らいでは駄目だ。そこを踏ん張ると、必ずやお客様は増える。きれいな髪になった人の周りの人が、自然と集まるようになる。

彩花
https://www.instagram.com/shantimako/?hl=ja

第二部

クライアントは髪である

第一章　美容室Kamidokoの日常

傷んだ髪から3年計画で美しい髪を取り戻す

ヘナの力を使って

はじめて来店される髪が傷んでいる人には、まずきれいな髪になるまでの計画を話すことから始めている。

カラーリングを頻繁にしていると、毛穴に異物が入ってくると体が反応して毛穴が閉じる。それに伴い、頭皮が硬くなる。すると縮れの強い、ちりついた状態の髪になる。髪の水分量やたんぱく質量も減るので、ぱさぱさとした状態にもなる。

「ヘアカラーをやめるとなおるよ。3年すると髪が変わる」

先が見えないと取り組むにも不安が残るが、3年先のゴールが見えると頑張れるものだ。

もちろん、髪が傷んでしまった原因について、最低限必要な説明をする。

「次は何か月後に髪を切る、何年後には新しく生えてきた髪の毛が多くなり、美しい髪が戻る。生まれながらの美しい髪が揃った時、その髪が自然とまとまる髪型に整える。それは、あなたの髪と相談して計画を立てるから」

それぞれの髪の状態を見て決める。傷んだ髪をばっさりと切ってショートにしてしまう。もしくは、中途半端に切っても効果がないように思える髪の状態のときは、カット代が無駄な出費となるので、何もしないで帰ってもらう。何もしないときは、もちろん料金は取らない。次はいつ来たらいいのかを伝える。

「1週間に1度、自分でヘナをしてほしい。ヘナで、傷んだ髪をケアしながら、地肌の調子も整えていくと、新しく生えてくる髪の毛は元気になる」

ヘナによる髪への効果と自宅で続ける方法を説明する。

美容院に行って、話だけをして帰宅したことのある人は、少ないかもしれない。でも私のところでは、頻繁に行われているやりとりだ。

納得するまで、とことん質問してくれて構わない。説明に納得して素直に実施してくれると、髪が再生するのは早い。ヘナという植物がその気持ちに応えてくれているように思う。

周りの人が「最近、髪、きれいになったね」と褒めてくれることも、ヘナを自分で施術することを頑張るきっかけになるようだ。褒められるとやる気も出てきて、髪はどんどん美しくなる。

「お客様の意見より髪の意見を優先する。クライアントは髪」

このぐらいの気持ちで向き合わないと、お客様の気持ちを動かすことはできない。そのぐらいの気持ちで向き合っていても

「ごめんなさい、ヘアカラーしちゃったの」

という人が出てくる。それならそれで、別の道を歩んでくれるのならいい。だが、

「ヘアカラーをしたら、やっぱり傷んじゃった。後悔しているので、またヘナをしてください。髪をきれいにしたいです」

と言ってくる。

私が受ける喪失感は大きい。髪を美しくするまでのスケジュールを最初に立てる。それぞれの髪の個性を見極め、最終的なデザインを目指し、カットはこの間隔で何回するなど、私は長期的な計画を立てている。髪の状態がだんだんと改善され、頭皮から成長する新しい髪は化学物質の影響を一切受けていない美しい髪になってきた。そう思っていたところに、す

べてが0になる現実を突きつけられる。最初からやり直しだ。

せっかく生えた美しい髪もヘアカラーでメラニンは破壊され、髪からたんぱく質や水分がどんどん抜けていく。こんなにがっかりすることはない。

行きつけの蕎麦屋の女将さんが、せっかくきれいになった髪に、ヘアカラーをした時は驚いた。

「お客様に美容師として駆け出しの若い子がいて、どうしても、とお願いされてやってしまったの」

それを聞いた時、女将さんの常連さんへの優しさがあるのだとは思った。だが、私の力は抜けた。

傷んだ髪は戻らない。髪は傷んでも、痛くない。血も出ない。だからついつい髪の傷みを軽く見てしまう。傷んだ髪にヘナで応急処置をして、水分やたんぱく質の流出を防いで艶《つや》を出す。ヘナはさらに頭皮を健やかに整え、新しく生えてくる髪の健康を助ける。

傷んだ部分の髪は、ヘナを塗って一時的にキューティクルを補正、修復をするが、メラニン色素が破壊された状態は元には戻らない。だからこそ、自然のままの美しい髪に戻すには長い時間が必要だ。途中でヘアカラーやパーマの薬剤を使ってしまったら、また最初からやり直しなのだ。

私の美容室への来店のきっかけは、知人の髪が美しくなっているのを見て、という人が多いのも特徴だ。「こんなにきれいな髪が戻ってくるのなら、私も行ってみよう」と思うらしい。

ヘアカラーのこと、ヘナのこと、髪のお手入れのこと、疑問に思うことはなんでも聞いてほしい。私はそのことにはしっかりと答えたい。疑問が解消されたら、私の提案する「きれいな髪への計画」どおりに、素直にやってほしい。素直に取り組んだ人ほど、きれいになるのが早い。

月に1度カットをしなければと思い込む必要はない

きれいな髪の人に伝えること

今ではもうごくわずかになってしまったが、ときどき、ヘアカラーもパーマもしたことのない、美しい髪の方が来店されることがある。他店に行くと、ヘアカラーやパーマを勧められ、それを断るのが負担になり、ヘアカラーやパーマをしない私のところに来る、という理由の人が多い。


きれいな髪の人に伝えることは一つ。

「美容院に1か月に1度来る必要はない」

多くの人が、カットは1か月に1度行った方がいいと信じている。そんなことはない。2

か月に1度でも多すぎるぐらいだ。ロングの人は、半年に1度でもいい。

「今日のカット代6000円で、いつもより高いランチを食べて、美術館に行って帰るのがいいよ。青山には美術館も美味しいランチもあるから。その状態だと、次のカットは3か月後だね」

髪の状態をしっかりと見て答える。

美容院に月1度通うという、この意識をまずは変えてほしい。

髪のコンプレックスこそが、実はその人の魅力を作り出す

個性を尊び、輝かせる

美容師によくあるのが、お客様の希望を素直に聞いて、そのとおりにしようとして、うまくいかず失敗すること。もしくは、髪型は成功しているが、お客様の雰囲気とは、ちぐはぐになっていること。

お客様の中には、椅子に座るなり、自分の髪質のどこが嫌いかの話から始める人がいる。しかも意外に多い。一通り話した後に、どういう髪の毛に憧れているかを話す。理想の髪型にしたいと話し始めるのだが、それぞれの髪質が違うので、憧れている髪型がその髪質と合うかどうか、それは別の問題になる。

美容師の中には、お客様の望んでいる状態にしようと試みることで、お客様に気持ちよく

対応できると考え、無理やりその髪型にしようと、髪が傷むような力技でもなんでも使って髪型を作り出す。

ところが、そのようにした髪は、何かちぐはぐな状態を感じずにはいられない。なぜなら、お客様は自分自身のことを客観的に見ることができないのだから。

私はお客様の髪と話す。髪質を見てどうやって整えていくかを考える。「髪を切る」ことは切り捨てることではない。並び替えて、整えて美しく見せるという感覚だ。その人の髪の持つ個性を大切に整える。そうすると大抵の人は、自分の髪質で嫌いだと思い込んでいたことが、実は個性であることに気づいてくれる。そして、それがあるからこそ魅力的な髪型になることを自覚する。

癖毛で悩んでいる人はストレートに憧れ、直毛の人はウエーブに憧れる。自分にないものに憧れるよりも、自身にあるものを強みにすることの方が最良の策だ。その人の生まれ持った個性を生かし、癖毛を生かしてカットで上手に整えることで、その人にしかできないウエーブが生まれ、魅力のある髪型になる。もし、癖毛が激しく、まとまりにくいときは、ヘナを続けることでほどよいウエーブに整い、上手にまとまるようになる。

美容師の仕事は、その人の髪質をしっかりと捉え、それを強みに思うような髪型を提供する。お客様が今まで嫌いだと思っていた髪質、癖が、実は自身の魅力を十二分に引き出すことのできるポイントであることを知る。そして、自分の髪質が好きになる。それが本来の美容師の仕事だと思っている。

はさみを大切にする美容師は腕がいい

髪の切り口で手触りは大きく変わる

髪のカットの出来栄えは、刃物の善し悪しと、刃物を入れる方向やスピードによって変わる。そのことにより、髪そのものの状態だけでなく、ヘアスタイルの耐久性と持続性にも大きく影響を与える。

美容師個人の「思考」も大切だ。私は、「髪を整える」ということを意識しながら、カットをする。意識をしながら切っていくと、髪の収まりが良くなる。髪は繊細で取り扱いがとても難しい。

刃物を大切にする美容師はカットも上手だ。髪の切り口で手触りが変わる。よく切れる刃物で直角に切る。断面は最小限になり、中からたんぱく質や水分が流出するのを最小限に抑えることができる。よく切れないはさみで髪をカットすると、カット直後から枝毛になっていく。切れないはさみで糸を切った時を想像してほしい。同じことだ。よく切れないはさみで切ると、髪が裂けてしまい、途端に枝毛になる。

「一日の終わりには、必ずセーム皮などで刃元と刃先、ねじ回りをていねいに拭くことで、その性能を常に１００％発揮します」

はさみ専門店の営業マンが教えてくれた。これを実行している人は、はさみとの付き合い方が上手な美容師であると。反対に、毛だらけのはさみを見ると、悲しくなるそうだ。衛生管理を含めて、コーム、ドライヤーなどあらゆる道具を大切にする美容師は、美容師から見ても、道具の専門家から見ても、いい美容師である。

はさみの技術専門家が、研磨する前の状態を見ると、大きな刃こぼれがなく自然に磨耗しているはさみと、ところどころ大きな刃こぼれのあるはさみがあるという。当然のことだが、自然に磨耗しているはさみはいい仕事の証だ。はさみの刃先3分の1部分でカットするものなので、刃元の磨耗の多いはさみを見ると技術力のなさを感じるそうだ。

美容師の中には、あまりはさみの研磨をしていない人もいるようだ。研磨の理想的な目安

を専門家に伺うと、

「剛毛のお客様から柔らかい毛質の方まで、いろいろなタイプの毛をカットするので、一定の頻度を決めることは難しいんですが、美容師の方それぞれが、最高のコンディションの時を覚えておいてもらい、手の疲れや腕の疲れなど変化を感じた時が、研磨の時です」

そう教えてくれた。

営業担当のデータによると、およそ300人の髪をカットしたぐらいの時期がちょうどいいように思うとのことだ。

私は3種のはさみを使っている。髪の毛に対してはさみを直角に入れるブラントカットが私のカットの中心だが、同じブラントカットでも相手の髪質によって変わってくる。だからこそ、相手の髪質によってはさみを使い分ける。

直角にはさみを入れることで、髪の毛の切り口は最小限ですむ。切り口から水分やたんぱく質が流れ出るのも最小限ですむ。だからこそ、ブラントカットを主軸としている。

毛先をつまんで毛先から根元に向かってはさみを入れるストロークカットと、髪の毛に対して直角にはさみを入れるブラントカット、この二つのようにカットの方法が異なる場合は、はさみの研磨の方法も変わる。すべて同じはさみで切っている美容師はいないだろう。1本がかなり高額なので、大きな投資であるが、これは必要不可欠で大切な投資である。

私ははさみを握る部分も、自分の手になじむようにオリジナルで作っている。そのことで、１００％の仕事ができる。研磨には定期的に出している。

それぞれの地元で信頼できる美容師を見つけたいとき、道具を大切にしている美容師かどうかは、見極めのポイントになるだろう。

第二章　ヘナと歩んだ30年

クレオパトラも愛した、古代から使われてきたヘナ

Hennaとは

日本ではヘナという名で知られている植物の学名は、*Lawsonia inermis*。原産地はインド、ネパール、スリランカ、パキスタン、イランなどの西南アジア、エジプト、モロッコなどの北アフリカ。和名ではシコウカ(指甲花)またはツマクレナイノキ(爪紅木)とも呼ばれる。

ヘナは枝葉の広がった3~6メートルほどの低木で、強い香りのある小さなクリーム色の花や青黒い果実をつける。葉からは赤色染料が採れ、ヘナタトゥーと呼ばれているボディーペイントや、髪の毛や爪や布の染めに用いられる。アラブ種の白馬のたてがみを染める時に使うこともある。

中東やアジア、アフリカの亜熱帯地域で伝統的に使用されてきたヘナは、移民によって世

界のさまざまな地域に持ち込まれたという。伝統的な身体装飾に使われており、宗教的な婚礼儀式では重要な役割を果たすこともある。また、治癒作用があるとも信じられていた。

『古代エジプトの埋葬習慣』(和田浩一郎著 ポプラ社 2014年発行)には左記のような記載がある。

ミイラの整形は手の込んだものになっていく。まず眉を描く、白髪をヘンナ(植物性の染料)で染める、髪を整え少ない部分には付け毛をするといった、化粧に類することが行われた。

今、強度を保ったままのミイラの髪が存在するのは、パーマやヘアカラーをしていない健康な髪の毛に、さらにヘナでコーティングもしていたから、というのもあるのではないだろうか。

また、ミイラを作製する際には、その包帯をヘナで染めていた。ヘナにはナフトキノンが含まれており、真菌やかびなどを防ぐといわれている。ミイラをかびなどから守る働きを期待して、包帯をヘナで染めたのだろう。

インドやネパールのタライ地方の女性たちは現在でも、結婚式やめでたい行事の時は、ヘナで手足に美しい文様を染める。ヒンドゥー教の人たちは、ヘナは富と吉祥の女神ラクシュミーがとても好んでいると信じる植物である。

インド・ラジャスタン州の畑で花を咲かせるヘナ

高品質といわれるインドのラジャスタン州のヘナ

ヘアケアで使われているヘナ

ヘアケアとしての「ヘナ」は、秋にヘナの葉を摘み取り、乾燥させて粉砕して粉末にしたもの。良質なヘナは若葉のみを使用している。

日本で普及しているヘナは、インドのラジャスタン州で収穫されたものが多い。インドでは、ラジャスタン州とグジェラート州にヘナの栽培が集中している。最も品質が良いとされているのが、ラジャスタン州で栽培されるヘナである。ラジャスタン州は、インドの砂漠地帯に位置し、日中の平均気温が40℃以上になるのに、夜になると10℃に下がる、一日の温度差の激しい地域である。雨量がわずかで、湿気も少ない。人間には過酷な環境だが、ヘナにとっては理想的な環境である。

トリートメント効果を感じ、世界中から100種以上のヘナを取り寄せる

私とヘナとの出会い

１９８４（昭和59）年、私が独立して最初に借りた店舗は、ビダル・サスーン（Vidal Sassoon）のアーティスティック・ディレクターをしていたShin Yoshinoが開いていた美容室「Atelier Shin」の居抜き店舗だった。当時、Shin Yoshinoはニューヨークを拠点にし、ときどき日本に戻ってきて活動していた。店舗に残されていたヘナは、アメリカで購入されたものだった。

ヘナとは何だろう？

試してみると、色づきは良くないものの、トリートメント効果を感じた。

そこから私の探究は始まった。当時、ニューヨークに住んでいた叔母に連絡をして、ヘナのことを話すと、そのメーカーから発売されているヘナを全種類送ってくれた。

さらに探究心は深まり、懇意にしている外国語の堪能な知人に、ヘナに関する海外の資料を集めてもらい、同時に各国のヘナを取り寄せてもらった。アフリカ、インド、オーストラリア、イエメンなどから全部で１００社以上のヘナのサンプルを取り寄せた。

集まったヘナを一つひとつ開けてみると、粉末の大きさ、色、香り、味など少しずつ違う。なかには、手に取っただけでかぶれてしまうものや、指に水泡ができてしまうもの、さらには、開けた瞬間に明らかに危険を感じる匂いのものもあった。

放射性物質などが入っているかどうか、調べる必要があると考え、老舗飲料メーカーの技術管理室に勤めている兄にもアドバイスを求めた。

成分表示にパラフェニレンジアミンなどの名前とともに、Barium oxide（酸化バリウム）という名称が並んでいる製品を見た時、どんな薬剤だろうかと、試薬を取り寄せてみたいと思った。兄に話したところ、

「それは劇薬であり、個人が取り寄せることは絶対に危険だ」

と教えてくれた。それを聞いて、海外のものには、恐ろしい劇薬が入っている商品があることがわかり、ヘナを使う時は、安全安心なヘナを選ばないと大変なことになると思った。

独立して最初に構えた、ヘナに出会った店で営業している間(1984~1987)は、まだパーマやヘアカラーを行っていた。施術で傷んでいく髪をトリートメントなどでなんとか修復できないものかと、あれやこれや試みていた。だが、どうにもいい結果が出ないことから、並行してヘナの調査や研究にどんどん力を入れるようになっていた。

1987(昭和62)年、北青山に店を移してからも、最初のうちはパーマやヘアカラーを施術していた。だが、パーマやヘアカラーをする回数が多い人ほど、髪の傷みは激しい。しかも、トリートメントの効果は期待できない。一時的に美しくなったように思えるだけで、さらに髪を傷つけ、傷みを促進してしまう。

ヘナの効果に期待したいと思ったが、未知の段階。私は了承していただけそうなお客様に、ヘナに髪を美しく保つ効果が期待されること、ただし自身の経験は浅く実験段階でもあることを正直に話し、それでもいいと言ってくださる方に施術を始めた。こちらの勝手で施術するのだから施術料はいただかない。

トリートメント効果が出るヘナがある一方で、使用したヘナの中には、白髪が真っ黒に、黒髪以上に不自然な黒に染まってしまうヘナもあり、お客様から「この色は困る」とお叱りを受けたこともあった。この時の驚きと、申し訳ない気持ちは、今でも忘れることはない。

この時代にヘアカラーをする人は、ほとんどが白髪を染めるためだった。バブル経済といわれていた１９８５（昭和60）年から１９９１（平成３）年は、黒髪と太眉が主流の時代。今のように、若者が黒髪にカラーリングをして髪色を変えることが日常的になったのは、バブルが弾けた１９９０年代からだ。

実は、バブル経済が始まる前の不景気の時代にも、若者のカラーリングは流行ったことがあった。どうやら、不況の時代ほど黒髪をほかの色に染めたくなるようだ。

１９９０年代の若者のヘアカラーの流行は、当時大人気だった安室奈美恵さんのファッションの影響が大きいといわれている。テレビやＣＭの影響は強い。

ヘナを一部のお客様に無料で施術してその効果を確認しながら、パーマやヘアカラーの施術はまだ続けていた。パーマやカラーリングで髪を壊しておいて、トリートメントで取り繕い、またパーマやカラーリングを続け、さらに髪を壊す。こんな薬剤は体にもいいはずはないと思いながらも、決定的な証拠もなく、パーマやヘアカラーをやめる決断はできずにいた。そんな時期であった１９８８年４月３日、朝日新聞朝刊に経皮吸収がもたらす体への負担、毛染めを使うことで再生不良性貧血を引き起こす可能性があるという記事が掲載された（内容は92ページ）。

経皮吸収による体調不良の新聞記事で、カットとヘナ専門の美容院を決意

ヘナの普及に力を入れる

やはり体への悪影響はあった。ヘアカラー、パーマの施術を捨てようと決意した。

お客様にそのことを伝えると、

「先月までやっていたことを、突然やめるとは納得できない」

「今までヘアカラーやパーマが体に悪いと思いながら、私に施術していたの?」

「パーマをしている今の髪型が気に入っているのだけど……」

「カラーの色が気に入っているのに」

想像以上の反論をいただいた。

一家、４人で長く通ってくださっていた方も、「パーマとカラーの施術をやめます」と話し

たところ、全員が別の美容院に移られた。

私の中では長い間、考えてきたことだったのだが、お客様にとっては突然の宣言である。お叱りを受けるのは当然だ。何か裏切ってしまったような罪悪感にも襲われた。ケミカルのヘアカラーやパーマが髪に良くないことを説明してやめたものの、お客様は離れ、売り上げは3割ぐらい減ってしまった。

それでも、ヘアカラーやパーマを再開しようとは思わなかった。売り上げが減った分は、経費削減、副業をするなどで対策を講じようと考えた。

世はバブル経済の真っ只中、北青山の美容室は土地活用によるビルの立ち退きに遭い、南青山5丁目に13坪の店舗を見つけ、移転した。ところが、移転先のビルの家賃がとても高い。バブル景気は長く続かないであろうと見通し、早めに経費削減を考えた。のちにバブル経済が崩壊し、不況がやってきた時には、判断は間違っていなかったと安堵した。

「髪を壊さない、健康な髪を傷つけない。生まれながらの髪の美しさを最大限に引き出す」を信念に活動していく決意をした。

後日談になるが、一度離れたお客様の中には、再び「Kami·doko」に来店してくださった方もいらっしゃる。一家で離れた家のお嬢さんもその一人だ。今もずっと来店してくださっている。そんなお客様がいてくださることも、私が活動を続けられる原動力になっている。とてもありがたいことだと思っている。

傷んでしまった髪をどうするか。

髪の傷みや薄毛に悩むお客様にヘナの説明をし、了承をいただいた方に、ヘナの施術をすることを始めた。以前よりお客様に協力いただき、無料で施術させていただいたことで、ヘナの効果を十分に感じていた。パーマとヘアカラーをやめ、カットとヘナ専門の美容院の看板を掲げると同時に、ヘナの施術料をいただくようにした。

ヘナは、日本の業者から100%植物成分のナチュラルヘナを1キログラム4万円（当時）で購入した。現在、弊社が一般販売している商品「オーガニックヘアカラー　オレンジ」の価格が100グラムで1800円（税抜き）、1キログラムで考えると1万8000円である。比較してもわかるとおり、1キログラム4万円は、随分と高額だと思ったが、この時代、日本で100%植物成分をうたったヘナを扱う問屋が、ここしかなかったため、選択の余地はなかった。

この当時、ヘナは「雑貨」として扱われて輸入されていた。現在のように、ヘナを「化粧品」として販売するようになったのは、2001（平成13）年の薬事法改正以降のことである。

化粧品として販売するには、各県の担当部署(東京であれば東京都健康安全研究センター)に許可申請をし、許可取得をする必要がある。ところが、雑貨であればその必要はない。2001年まではそんな時代であった。

ヘナのことを知ってもらうためには、どうしたらいいのだろう。

私が調査して得た情報と、お客様に実践した過程と結果について公表したいと、美容業界向けの雑誌『しんびよう』(新美容出版　現在の雑誌名は『SHINBIYO』)に企画を持ち込んだ。1993(平成5)年、ヘナの特集として掲載されると、思った以上に反響があり、「ヘナ研究会」を立ち上げることにした。研究会には全国の美容院から100人ほどが集まってくれた。

研究会の立ち上げ後、ヘナの販売も開始することにした。1995(平成7)年、ヘナの販売のために、美容院とは別に株式会社ラクシュミーを設立した。それまでは日本の問屋から購入していたが、販売会社設立によって、インドのヘナの製造会社と直接取引を始めることにした。100%植物で作っているところからサンプルを取り寄せ、その中から最もいいと感じたヘナを選んだ。

ヘナを使用することによって、疑問を抱いていた「髪を傷める施術」から離れることができた。さらに、傷んだ髪の修復を助け、白髪や薄毛の悩みを改善することが可能になった。実際、ヘナを施術したお客様からは、喜びの声を聞くことができた。

この事実を真面目にきちんと伝えたいと考えて著したのが、１９９８(平成10)年に、ヘナについてまとめた『トリートメントカラーヘナ』(学陽出版)である。

使いやすさを求めたジェル状ヘナの製造中止を決断

時代の求めるものではなく、安全で有効なヘナを届ける

「粉末を溶かすのは面倒」

ヘナを販売するようになって多く届いたのが、こんな声だった。それを解決しようと、輸入したヘナの粉末を日本の化粧品製造会社に持ち込み、ジェル状のヘナとして商品化した。

２０００(平成12)年、ジェル状の「ラクシュミーヘアカラートリートメントR」の販売を開始。価格は２４００円(税別)、量はおよそ2回分。ジェル状にすると水分があるため雑菌が繁殖しやすい。そこで、ガンマ線滅菌を行った。

この商品は大ヒットし、２００３(平成15)年にはリニューアル商品も発売。ところが、製造販売から1年を過ぎると、色が染まりにくくなることが判明した。調べてみると、ヘナに

含まれる色素成分ローソンの量がガンマ線滅菌の影響で減少することが判明した。

年間10万本以上を販売していたヒット商品であり、生命線でもあったが、ローソン量が減っていくことによって、トリートメントや染料としても効果がなくなる商品を販売することは、「髪を美しくする仕事をする」と願う私の志に反すると思った。


取引先からは大反対された。

「3年保証の商品で、ローソン量が減るのは1年経過してから。1年は大丈夫なわけだから、在庫については販売を続けよう。購入した人は、ローソン量が減る前に使い切るはず」

「急な製造販売中止は避けてくれ。今年度の計画が大きく違ってくる」

取引先は販売を中止することに怒り心頭だった。

だが、やはり在庫の2万本を廃棄することを決めた。結果、1000万円強の借金を抱えることになった。借金を背負うことで一時的に経営は苦しくなるが、商品への信頼を裏切らないということが、この先を進むために大切なことだと考えた。長い目でみると、この失敗から得たことは大きいと思ったのだが、それは今だから言えること。当時、この決断に至るまで、眠れぬ日々を過ごした。

破産するのではないか。

美容院の利益だけで、この借金を返済するのは難しいことは、すぐに理解できた。カットとヘナだけの美容院、おそらく南青山の美容院で最も客単価が低い店だと思う。一日に施術できるお客様の人数は決まっている。利益を増やすには限界がある。在庫は売り切ってしまおうか。悪魔のささやきが頭の中をぐるぐると巡ることもあった。それでも、決断した。

「これが少しでも足しになるのなら、使いなさい」

久しぶりに会った姉が、自身の貯金を解約して現金を用意してくれた。私の苦悩が伝わっていたのだろう。何も関係のない姉にまで心配をかけてしまう自分が情けなかった。

いま振り返れば、この決断は間違いではなかった。この決断をしていなければ、今の自分はなかっただろう。とはいえ、この時は本当に辛く、何かに追われているような恐ろしい日日が続いた。

ヘナは粉末で届けることが最良である。簡便性、利便性を求めすぎては駄目だ。そのしわよせは必ずくる。必要最小限の手間まで省いては本末転倒になる。

この経験から、時代の求めに応じるのではなく、未来の人々に本当に必要なものや考え方の提案をしなければ、無意味であることを学んだ。

化学物質入りのヘナが流通し、健康被害が報告される

日本のヘナ輸入会社の勉強不足も原因

２０００年（平成12）年頃より、さまざまな会社からヘナが発売され始めた。美容院に広まるだけでなく、ドラッグストアや大手通販でも販売が開始され、市場が拡大した。

ヘナが広まっていくことはうれしかったのだが、しばらくすると問題が発生する。植物１００％のヘナと表記しながら、重金属や、化学物質の酸化染料であるパラフェニレンジアミンを混ぜ合わせたものが出回ったのだ。もともとインドではブラックヘナと呼ばれる、黒く染まるヘナが安価に出回っており、それが輸入されてきたのだろう。日本の代理店や販売店も、ヘナに対する不勉強があり、インドの取引先から「ヘナ１００％」と言われ、それを信じて輸入していたところも多かったようだ。

周りの人に聞いてみてほしい、2000年頃にヘナを使用した人の中には、「ヘナは髪が黒くなりすぎる」と感想を持つ人がとても多いのに気づくだろう。

ブラックヘナだけでなく、ヘナ粉末の緑色を鮮やかに見せるために人工着色料を使っている、あるいは、色素のローソンがほとんど入っていない粗悪なヘナにピクラミン酸ナトリウムを混ぜてヘナのようにオレンジ系に染まるように見せる商品なども出回った。農場で栽培されるヘナに農薬の必要はないため、農薬の心配はないのだが、収穫、乾燥の後、粉末に加工する工場で、このようなことが行われてしまう。また、加工工場の衛生管理に問題があり、雑菌が許容範囲以上に混ざっているなどということもある。

ヘナを使用したことで、かぶれた、赤く腫れたなどの苦情が国民生活センターに寄せられるようになった。国民生活センターでも大きな問題と捉え、センターが発行する『たしかな目』において、2006（平成18）年と2007（平成19）年に続けてヘナを検証する特集が行われた。『たしかな目』2006年10月号の特集では、検証した12社（合計14商品）のヘナ製品のうち8商品に適切なローソン量が含まれていなかったという結果が出たという記事だった。流通するヘナの検証を通して問題を列挙し、要望として、業界や行政に改善を図ることをまとめている。

○ヘナにより染毛すると意味する表示があったが、ヘナの色素ローソンがほとんど検出されなかった。
○色素ローソンがほとんど入っていない製品が多いことから、染毛性能が低い。
○今回の調査では永久染毛剤に使われている染料（パラフェニレンジアミンなど）を使用した商品はなかったものの、事前にパッチテストをすることの表示がされていないものがあった。

２００６年に調べた商品には、永久染毛剤に使われている染料（パラフェニレンジアミンなど）を使用しているものはなかった。

だが、翌年２００７年７月号『たしかな目』では検証として、業界への要望として下記の内容が記載された。

○酸化染料を含む未承認のヘナ製品を頭髪に使用する可能性がある商品として販売しないよう要望
○「人毛かつら用」「雑貨品」として販売する商品を消費者が頭髪に使用することがないよう、誤解を招く表示の改善を要望

前年よりも、さらに問題のあるヘナが市場に出回っていたことに驚いた。このことが影響し、せっかく広まり始めていたヘナの火が一気に消えていった。信頼できる１００％ヘナの

製品を見つけ、輸入することはとても難しいことだった。

私自身のことを言うと、1995（平成7）年より、ヘナを代理店を通さずに直接輸入を開始した時、サンプルを取り寄せ、その中から最良と思う会社と取引を開始した。輸入後も日本の公的機関で分析して内容をチェックしてきた。100％ヘナの商品ということで取引を開始したが、何度目かの輸入後の検査で、酸化染料が検出されたことがあった。

その後に取引した別の会社とは、長く取引を続けることができた。ところが、会社の代表が代わると、ヘナの仕入れルートが変わったようで、染まりが悪いなど品質が落ちているのを感じた。調べてみると、やはり色素成分のローソン量が低くなっていた。質のいいヘナを探すことは、つくづく大変なことだと感じていた。

ところで、現在、日本に輸入されているヘナは、一部には北アフリカや中東からのものもあるものの、ほとんどはインドからである。なかでも、インド北西部ラジャスタン州のヘナは、最高の品質といわれており、この地方から輸入している商品が多い。

ラジャスタン州ソジャットには、政府が管理するインドで唯一のヘナ市場がある。インドでは最高品質のヘナが集まるといわれる市場である。市場には、ヘナを栽培するさまざまな農家から集められた植物ヘナが積み上げられている。

このヘナが専門の業者に買い上げられ、加工工場に搬送され、パウダー状に加工される。ほとんどの加工会社が、どこの農地でどのように作られたヘナであるか、詳しいことを追うのは難しい状況にある。


製品に使用されているヘナが、どこの畑で栽培されたものであるか、生長過程、収穫、加工、製品化まですべてを追うことが可能なヘナの製造会社を見つけることが、大切であると考えていた。そして、そのデータが間違いないものであるという第三者認証機関から認証を取得したものであれば、より安心で安全であると考えた。

2006年、2007年の国民生活センターへの苦情の数や『たしかな目』の記事のこともあり、より安全なヘナ、高品質なヘナを求めることが必要だった。

「オーガニック認証団体の世界基準といわれる国際有機認証機関・エコサートの認証を得たヘナを扱うインドの会社を探そう」。エコサートは1991(平成3)年にフランスで設立された、世界最大の有機認証機関の一つであり、信頼ができると思った。

インドで見つけた「人類にとって何が必要か」を考える企業

持続可能な社会のための活動に重点を置くCNP社

２００９（平成21）年、インドでエコサート認証を獲得している会社を探している時に出会ったのが、Cultivator Natural Products、通称ＣＮＰだった。

ヘナだけではなく、多種類の薬用植物を自社の管理農場で無農薬・有機栽培を行っている会社で、インド国内の有機認証だけでなく、フランス、ＥＵ、アメリカなどの認証も取得しており、化学物質、酸化物、重金属、ＧＭＯ（遺伝子組み換え作物）ほか、健康や環境に害を引き起こすおそれのある成分は使わない、動物実験もしていない。製造工程で水や土壌を汚染せず、太陽エネルギーを使うなど、安全と安心を徹底的に追求して製品を作っている。

ＣＮＰ社を見つけた時は興奮した。すぐに連絡をとってサンプルを取り寄せたところ、その質の良さを十二分に把握した。

日本でヘナが雑貨扱いから化粧品扱いとなったあと、ラクシュミーは化粧品製造販売業、化粧品製造業許可を取得し、問屋を通さず、仕入れを直接し、一般販売できるよう態勢を整えていた。CNP社となら自信を持って高品質の製品をお届けできると思った。それだけでなく、温めてきたことが実現できるような気がした。希望の道が目の前に広がるのを感じた。


CNP社はインドの北西部ラジャスタン州ジョードプルに拠点を置く。

現会長のナラヤン・ダス・プラジャパティさんが、CNPの前身となる会社Sonamukhi Udhyogを設立したのは1999(平成11)年のこと。その頃からすでにフランスのエコサート認証を受け、翌年から有機認定の生産物を国内に、その後は徐々に海外へも販売を開始した。実は、会社の歴史は、さらに10年を遡る1988年、ナラヤンさん50歳の頃だった。それまで、テキスタイルビジネス(生地の素材を生産する繊維業)を生業とし、いくつかの工場を運営していたが、「水も空気も作れない自分が、それを汚すようなことをしていいのだろうか」と疑問を持ち、自然に敬意を払いながら、植物の力を活動の軸にした仕事をしたいと考えた。

「できる限り自然に習った方法で、自然を壊さずに経済を回したい」

薬用植物を育て、それを私たちの生活に還元し、さらに自然界の循環、持続を保つ。「自然本来の方法で母なる自然に還る」、そんな仕事のありかたを考えようとしたという。

インドでは昔から薬用植物の需要が高く、薬用植物栽培がとても盛んだった。薬用植物を育てるための畑は、その他の作物を栽培する畑とは大きく異なる。

穀類、豆類、油を取るための油脂作物、サトウキビ、綿などのように高い収入を得るための農業を優先し、少しでも収穫量を上げるために、農地のすみや畦道《あぜみち》にあった樹木を切り倒してきた。特に1947(昭和22)年のインド独立後は、食糧生産を増加させるために、農地の樹木を邪魔者扱いした。トラクターを使い始めると、樹木はさらに邪魔になり、木々をどんどん切り倒していったそうだ。そして建築資材として売り払ってしまい、その分の現金も手に入った。

切り倒した樹木は、アーム(マンゴー)、アムラ、カイタ(ナガエミカン)、イムリーナド、もともとは古《いにしえ》より先祖が、大切に育てて収入を得てきた木々だ。木があれば、そこに実る果実などにより、毎年、収入が得られた。これが、伐採により途絶えてしまった。

それだけではない。農地が持っていた生物多様性のある自然環境が完全に破壊されてしまったのだ。樹木が農地にとってどれほど大切なものだったのかを、忘れてしまった。賢明な先祖たちが考えた知恵を守り続けることができなかった結果、農家の経済状態はますます悪化していった。樹木は作物にとって有害なのではなく、むしろ有益なのである。貧困からの脱出も、樹木の恵みが柱になるに違いない。

「私たちは新しく樹木を植えて育てていかなければならない。薬用植物の農地には、生物の多様性が重要で、これを無視して薬用植物の樹木を育てることはできない。薬用植物の農園では、樹木、蔓草《つるくさ》、低木などが作り出す調和によって収穫量が増加し、品質も良くなる。樹木からは花、果実、葉、樹皮、根を得ることができ、農地にとってはそれらが肥料となる。樹木や薬用植物の発育を助け、農地の土壌の湿気を長期間にわたって保持させ、農地の表面の土を直射日光や雨から守る。この調和を崩してはならない」

これがナラヤンさんの強い思いだ。この思いは現社長のタルンさんにも着実に引き継がれている。

2014（平成26）年1月、私は初めてCNP社を訪ねた。取引が始まって5年後のことだ。より進化したヘナ製品を作り始めるという連絡がきっかけだった。

ラジャスタン州ジョードプル地域を中心に点在する自社農場の総面積は、私が初めて現地を訪れた時に、４００平方メートル、本社工場にも広大な農場が隣接している。各農園は土地侵食が起こらないように整然と構築され、点滴灌漑が施されている。

「水や土壌を汚染することのないように気をつけ、太陽エネルギーを活用するなどして製品を作り、加工、包装も行っています」

　ここで育つ薬草は、とても生命力に溢《あふ》れているのを感じた。自然の美しさ、力強さを全身で感じられる場所。心地よい大地の香り。私はここが好きだ、と思った。

会長のナラヤン・ダス・プラジャパティさん

社長のタルン・プラジャパティさん

世界に本物を伝え、地域の貧困解消を目指す

CNP社の会長は薬草栽培の専門家。栽培方法をしっかり伝える

「本当のものを伝えたい」

「農村の貧困を救済したい」

「人類にとって何が必要かをいつも模索している」

ナラヤンさんの息子で、現在は同社の社長を務めるタルン・プラジャパティさんが真剣な眼差しで語った。この言葉が私の心に深く響いた。

一緒に仕事がしたい。

初めて会ったその日から、プラジャパティ親子の人としての生き方、仕事への取り組みに、私は惹かれている。

CNP社の農場は、自社だけでない。2014年で800万平方メートルに及ぶ契約農場も展開していた。自社が管理する畑で、無農薬・有機農法で育てた薬草を、最も状態のいい時期に収穫を行うことが可能である。こうして収穫した高品質の薬草は、製薬、食品、化粧品などの用途に合わせて素材加工され、世界中に輸出される。

身近な例を一つ紹介すると、最近、日本でなじみになっている、イギリスの「pukka」が販売する有機ハーブティーの原料にも、CNP社で栽培しているハーブが使用されている。インドを訪問した際、pukkaの社長の訪問時期とも重なり、社会に貢献を実証する企業活動についてミーティングをすることもできた。

CNP社の有機認証を受けた薬用植物の販路は、今やインド国内市場を超えて、国際市場にも広がっている。有機認証認定を受けた植物の販路拡大に伴って農場の規模もますます大きくなり、2020年現在では、3000エーカー(約1200ヘクタール)を超えた。そこで収穫した薬用植物は、10万平方フィート(約9290平方メートル)の処理工場で加工される約80種が製造されている。

インドのラジャスタン州は、政府が管理するインド最大のヘナ市場が開かれている。農場から収穫した植物のヘナを、加工会社などに販売するための市場で、一般的には、ここから各加工会社はヘナを仕入れ、加工する。

ところが、CNP社はラジャスタン州西部に本社がありながらも、この市場から仕入れるのではなく、自社農場と契約農場で自社の管理のもと栽培、収穫し、自社工場へと運ぶ。薬草栽培から加工、パッキングまでのすべての工程を管理運営。しかも、どこでどのように育てた薬草で、いつ収穫され、工場にはいつ搬入されたのか、要所での検査結果もすべて記録され、履歴をすべて追うことができるようになっている。国際有機認証機関であるエコサートの認証を受けているので、自社申告だけでなく第三者も認めていることで、取引をする時の大きな安心材料になる。

CNP社が自社農場や契約農場を大切にする理由は、高品質な薬草を育て「本物を伝えたい、届けたい」、農村、農業に従事する人の「貧困を救済したい」という思いにほかならない。その根底には、「人類にとって何が必要か」という思いが常に流れている。

CNP社会長のナラヤンさんは、これまで50種類に上る薬草の栽培方法や有機農法システムを開発している。薬草に関わる政府機関の設立メンバーでもあり、インド政府家族健康福祉省国立薬用植物局の局員としての活動も行っている。インドにおける薬草栽培の第一人者であるといっても過言ではない。

２００３年、ナラヤンさんは９００ページに及ぶ野草大事典『A HANDBOOK OF MEDICINAL PLANTS: A COMPLETE SOURCE BOOK（薬草の手引書）』を出版する。事典は、50歳の時から20年をかけて１３４６種類の植物を調べ上げ、まとめたもので、世界中で発見された雑草＝野草について、長きにわたる研究成果が収められている。薬草の農業栽培に関心を持つ人にとって、包括的で実用的な手引書である。ナラヤンさんは、インドでの農業従事者を育てたいと考え、この手引書によって知識と知恵を伝えたいと考えたのだ。

手引書だけでなく、ラジオの講話シリーズや政府機関との協力による薬草やその栽培に関わるテレビ放映への出演。無料のリーフレットを作成、数々のトレーニングプログラムなどを通して、４０００人を超える農業従事者に薬草栽培への道を指導してきた。

息子であり、現在ＣＮＰ社の社長であるタルンさんも、薬草の栽培、収穫後の管理、薬草療法、乾燥地帯の生態系、雨水灌水システム、有機農法などの専門家である。彼は国立グジャラート・アーユルヴェーダ大学大学院で薬草学修士を取得した薬用植物学研究者でもある。国際学会などで多くの論文を発表し、国内外のセミナーで講師なども務めている。米国ではマーケティングを学び、農業と輸出に関するエキスパートでもある。

２００５年にＣＮＰ社に入社する。父のナラヤンさんと同様、薬草栽培農家の育成に力を入れることを引き継ぎ、わずかな値段で購入できる月刊『AMALTAS』（発行部数５万部）

を出版。編集主幹として、薬草の栽培、マーケティング、用途に関する知識普及に尽力している。

この地方は大部分が砂漠で、生活に大切な水を得ることも困難を伴う。飲料水を得るために何キロメートルも歩かなければならない状態だ。生活は困窮し、子供たちを学校に通わせることなく、仕事をさせる。貧困にあえぐ町には麻薬が横行し、中毒者も多くなっていた。犯罪が多発し、衛生状態も悪く、病で亡くなる人が多い、この大変厳しい環境を改善し、皆が幸せに暮らせるようにしたいという思いが、CNP社の企業精神の柱の一つである。

この状態をどうにかしたい。CNP社は、自社農場で働く人の給料を適正に、契約農場に支払う薬草の買い取り価格を適正にすることを第一に考える。自社農場には住居を建て、働く人が衛生状態のいい快適な暮らしができるように努力している。

契約農場に関しても、住居に困っている農家には住居を提供する。契約農場の中でも、インド北部の最も貧困が厳しい地区には、食堂を作り、食べることができるように整える。

CNP社で働く人や契約農場で働く人の子供たちが学校に通うことができるように、十分な給料を提供する。学業を犠牲にして働かなければならないような経済状態からの脱却に力を注ぎ、学校にきちんと通う習慣をつけることを働きかけている。

ＣＮＰ社の最終製品のための薬草は、自社農場で栽培することで、地域の人の働き口を作ることができる。契約農場を増やすことで、農場を持つ人々から、適正価格で薬草を購入することができる。薬草栽培の方法については、先にも説明したとおり、会長は第一人者。栽培方法を無料で教える。このことで、ＣＮＰ社は栽培履歴のはっきりした、高品質の薬草を収穫できるようになる。誰もがプラスになる企業の活動を行っているのだ。

植物を研究する会長のナラヤンさんは、薬草は無農薬栽培で育てなければ駄目だという。農薬を使って育てた植物と、農薬を使わずに育てた植物とでは成分の含有量に差が出るという。例えば、ヘナであれば、赤色色素成分のローソン量は、無農薬で育てたヘナの方が高くなるそうだ。

無農薬栽培でいい状態の薬草を収穫できることは、ＣＮＰ社にとっては最終製品が高品質になることで、購入する利用者に効果の高い品質のいい製品を届けることができることにつながる。そして、無農薬栽培は農業従事者の健康と大地を守ることもできる。人間にも自然にも優しい企業活動である。

貧困からの救済活動は、私がＣＮＰ社を知ってからとどまることなく、さまざまな環境を整えている。従業員や契約農家とその家族のために定期的な健康診断を行う医療制度も整えた。

地域への貢献として、冬には公立学校の子供たちに無料のセーターを配るなど、孤児への支援を行っている。病気と闘っている子供たちへの支援も行っている。

ＣＮＰ社の工場での採用は、地元の未熟練の人を採用し、高度な熟練者へと育成するトレーニング制度を充実させている。賃金についても、インドにおける最低賃金法の最低賃金よりも高い賃金を用意。休暇の確保もしっかりとしている。

２０１９年、ＣＮＰ社は労働者やその家族に、さらに地域へ公正な取引が行われていること(フェアトレード)を証明する「フェアフォーライフ」認証を、エコサートより取得した。オーガニック由来のヘナ製品のジャンルで、フェアトレードを証明する認証を取得するのは世界初だという。

フェアフォーライフは、「人権と公正な労働条件の尊重」「生態系の尊重と生物多様性の促進・持続可能な農業の慣行」「地域のインパクトの改善・向上」の3点を基本原理としている。ＣＮＰ社の「人権と公正な労働条件の尊重」「生態系の尊重と持続可能な農業の慣行」については、前述の通りである。

地域のインパクトの改善・向上の活動については、エイズに感染した孤児たちへの継続的な支援は、その一つといえるだろう。今を生きるための衣食住の支援は、あくまでも通過点、その先のことが大切だと考えている。大人になった時に、生きがいを持って働くことができる環境づくり、自分の力で未来を開く、自立した生活を実現する支援を行おうとしている。

とくに女性への支援は重要課題と捉え、そのための会社設立を行った。彼女たちが、生き生きと働くことのできる環境を整えたいと考えたのだ。

CNP社には、世界各国に500を超える取引先がある。同社からハーブの原料を輸出し、取引先で有機ハーブティーなどの最終製品となるような関係も多い。そこで、各社から製品となった商品を輸入し、インドで販売する輸入販売会社を立ち上げた。エイズに感染した孤児が大人になって、ここで働くことを選択の一つとして考えることができるよう、会社の発展に力を注いでいる。

信頼ある取引先との繋がりから、高品質な良品を輸入し、インドの人に広める。この活動は、誰にとってもプラスになる経済の回し方だと感じる。

ラクシュミーのオリジナル商品についても、輸入販売したいという相談もあった。私としても、商品の輸出はもとより、その他の面でもできる限り力になりたいと思っている。

クリーンルームに最先端機器を完備した工場

検査室、研究室も充実のCNP社

薬草栽培の専門家がスタートさせた企業であることから、薬草の有効成分を最大限に保持する技術を心得ている。

さらに、インドの伝統医療であるアーユルヴェーダの専門家が、最先端の技術を取り入れ、薬草の栽培、収穫、乾燥、加工、保管まで一貫した品質管理が行われ、植物にとって理想的な環境で商品化されている。

生産履歴の管理であるトレーサビリティーに関しても、独自のシステムを確立。いつ、どこで栽培、収穫されたものか、どのような加工を経て、いつ袋詰めをしたのか、どこでどのように検査をし、検査結果はどうだったのか、すぐに把握できるようになっている。

実際にいろいろと質問してみると、常に明確な答えが返ってくる。目の前にあるヘナの粉が、いつ、どこの畑で収穫されたのか、乾燥後の状態はどうだったのか、すぐに答えてもらえる。

加工工場は、欧米基準の高い安全性や衛生管理に基づき、近代的な検査室を完備している。2015年からは、すべての農場と工場にソーラーパネルが設置され、会社全体が100%グリーンエネルギーで運営されている。

工場を見学すると、設備にかなりの投資をしていることがわかる。本物を作ることを目指して、投資を惜しまないのが息子のタルンさんだ。彼の本物を伝えるための投資は大胆である。横で見ている私は、その思い切りの良さに圧倒されることさえある。30代の若さで猛進している。

2016年、欧米の建設基準に則《のっと》った病院の手術室にも匹敵するクリーンルームに最先端機種を揃えた新工場を建設中のことだった。

11月8日午後8時、インドのモディ首相が高額紙幣を11月9日午前0時で廃止すると突如、発表。インド政府は、偽造紙幣や不正蓄財の根絶を目的とし、流通している紙幣のうち最高額の1000ルピー札（約1550円）と、次に高額な500ルピー札を廃止。新たに2000ルピー札を10日以降に、新デザインの500ルピー札を数週間以内に発表する予定と説明し、廃止されるルピー札を一旦銀行に預け、新札を引き出してほしいと発表した。ただし、当面は旧紙幣の交換は4000ルピーまで、預金の引き出しは1週間に2万ルピーまでと上限を設けた。

このことで、インドの銀行は大混乱となり、送金などの業務に遅れが生じる。新規工場を建設中のCNP社は、工事費のやりくり、精密機械を海外から購入した分の支払いなど、高額紙幣廃止に伴う銀行の混乱とともにストップ。従業員に支払う給料のことなども頭を痛めた。インドの消費者の90％以上が現金決済を行っている。従業員にいきなりデジタル決済を行うことなど難しい。会社として可能でも、それを受け取る従業員が混乱する。工事が一時中断になり、CNP社は危機を迎えた。30代のタルンさんは負けなかった。私もすぐに彼に連絡をした。

「何かできることがあったら言ってほしい。もし、資金が必要ならばできる限りのことはする」と。

「ありがとう。まずは今できる対策をとってみる」

タルンさんの声は、危機に負けず策を見つけて進もうという力強さがあった。取引先である欧米の代理店からも、力になれることがあったら言ってくれという申し出が、多数あったようだ。それは、彼の事業への取り組み方に共感する取引先がそれほど多いことを意味する。

タルンさんの「本物を伝えたい」という思いと、事業で得た利益を働く人に還元し、「貧困をなくしたい」という志は、取引先の心を動かす。取引先は、医療関係から食品、美容関係にわたる。彼の「本物を伝えたい」という製品への取り組みにより、ＣＮＰ社と一度取引を始めると、この製品のクオリティーをほかで探すのは難しいと感じる。

私は、私にできる精一杯の支援をした。彼を応援したいという気持ちとともに、彼の会社がなくなっては困る、これだけ良質なものを作る企業を探すのはもう不可能だという思いがある。返ってこなくてもいいという思いで支援したのだが、その後、私が商品を購入する際は、支援の分を前払いと考えて対応してくれている。

「恩返しをしなければ」

彼はことあるごとに、私に言ってくれる。そんな彼の仕事を私は心から信頼している。

タルンさんは私よりもずっと若いが、彼から学ぶことが多い。尊敬している。

工事は約３か月止まった。タルンさんも不安な日々を過ごしたと思う。その後、無事再開され、２０１７年３月、クリーンルームに最先端機種を揃えた新工場が完成した。

工場だけではない、最先端の検査機器を揃え、検査室、そして研究室を充実させた。

ＣＮＰ社は、医薬品や食品の原料となる薬草を加工して提供する活動に加えて、２０１７年より、ヘナを中心にシャンプーなど化粧品について、自社のオリジナル製品を作り、販売を開始している。医薬品や食品のハーブ原料と同じように、オーガニック認証であるエコサート認証、USDA、動物実験を行っていないことを示すリーピングバニー認証を、２０１９年にはヴィーガン認証なども取得している製品である。

同社は、デザイン室、印刷室などを充実させており、自社でパッケージのデザインから製作まで行うことが可能な態勢を整えている。

社内の医療機関体制も充実している。タルンさんがアーユルヴェーダ大学大学院で学んだこともあり、アーユルヴェーダの医療の研究にも力を注いでいる。

畑に設置されたソーラーパネルの前で、タルンさんと著者（右）

ＣＮＰ社製の高品質で安全なヘナを販売開始

進化し続ける美容関連ハーブ製品

ＣＮＰ社、プラジャパティ親子と知り合ったことで、私がヘナをはじめとする薬草との関わりで温めていたことが実現へと走り出した。

私がＣＮＰ社と取引を開始してから２０１７（平成29）年まで販売していたＣＮＰ社の商品は3種。ヘナ１００％の「オーガニックハーブR」。ナンバンアイ葉（インディゴ）、ヘナ、アロエベラ葉、カシアアウリクラタ葉の４つのハーブから作る「オーガニックハーブB」は、「オーガニックハーブR」と併用して、オレンジ系になった髪の色を落ち着かせる。カシアアウリクラタ葉１００％の「オーガニックハーブC」はトリートメントとして活用した。

これだけ高品質な薬草の粉末ヘアケア製品を、化粧品製造販売会社ラクシュミーから発売できることの喜びはとても大きかった。

２０１６年、ＣＮＰ社は10種類ほどの薬草を乾燥、粉砕し、それぞれの配合による20色の白髪染めを作り出した。今まで、多種の薬草を、それぞれの薬草が持つ有効成分を生かしながら混ぜ合わせることは難しいとされており、白髪をハーブでさまざまな色に染めるのは、ハードルが高いとされていたが、ＣＮＰ社の新たな技術により、これを可能にした。

粉砕技術を進歩させたことで、ヘナ１００％の粉末についても、色素成分のローソン量が増えるなどの効果をもたらした。また、粉末がより細かくなったことで、水で溶いた時にダマになることがほとんどなくなった。それまでの製品は、ヘナの粉末を水で溶いて１日置き、色素のローソン量を増やし、効果を高めて使用した。ところが、新製品は粉末が微細になったことから、水に溶いた直後から充実したローソン量を得られるため、すぐに使用することができるようになった。

これらの成功により、ＣＮＰ社は製造かつ発売元として、欧米の美容院に代理店経由で流通を開始した。２０１７年には、新工場も無事完成し、美容関連の製造は新工場へと移した。ＣＮＰ社の新製品が発売に向けて動き始めた頃、私は自身の販売会社ラクシュミーで販売する商品をどのようにするか検討を始めた。

２０１４年以降、毎年、秋と春の2度、私はインドのＣＮＰ社を訪ねる。タルンさんが来日する時は、私の美容院で打ち合わせを行う。

ＣＮＰ社が２０１６年度に発売する新製品と、その中からラクシュミーから販売する製品について熟考した。結果、弊社で販売する商品は、オリジナルのパッケージを作ること、種類はヘナとほかに4品を選び、全5品を発売することを決めた。製品のパッケージは自らがデザインし、完成したデザインデータをインドのＣＮＰ社に送り、ＣＮＰ社ですべて印刷をしてもらうことにした。

２０１８年、弊社ラクシュミーは、エコヴェーダシリーズ「オーガニックハーバルヘアカラー」として発売した。

新製品は、これまで弊社で販売していたものとどう変化したのか。栽培、育成、刈り入れまでのヘナの育てかた、品質は同じである。加工の技術が進化した。

粉砕技術が高度になり、組織を壊さずにより細かな粉末ができるようになったこと。粉末をパッケージに封入後に、窒素充填を行うことで、封入後の酸化をさらに防ぐことが可能になったこと。そして、封入前の殺菌方法がより厳密になったことがあげられる。

化粧品の組成や安全性については、世界の中で最も厳しいとされているＥＵ（欧州連合）

の定める化粧品に関する規制（EC1223/2009）に合わせ、殺菌についても、気流式流動型高圧蒸気殺菌を行い、日本基準よりも厳しい殺菌を行っている。日本では茶葉などの殺菌に行われている方法で、化粧品扱いであるヘアケア商品に食品に準ずる殺菌を行うことをＣＮＰ社は選択したのだ。

タルンさんより、

「森田さんのラクシュミーで販売する製品はどうしますか？」

「以前のままの状態にしますか？」

と相談があった。中には有用菌もあるので、菌をほとんど殺してしまうことについては、悩むところでもあった。世の中はある程度の菌との共生は必要、ヘナの染まりも有用菌の働きが何か作用しているかもしれない、という思いもあったからだ。

だが、将来的には日本も、ヨーロッパやアメリカの基準にまで菌の管理は厳しくなることが考えられる。いずれはやらなければならないこと、法律で欧米基準が定められてから行うのではなく、先を見据えて、化粧品としてのクオリティーを上げる、安全性の確かさを知ってもらうことも、大切な進化と考え、ヨーロッパ基準に合わせることにした。

２０１８年にラクシュミーとしての新製品を発売した後も、私はまだ検討することがあった。配合されているハーブの種類が多いことが気になっていたからだ。花粉症があるように、植物へのアレルギーは存在している。配合する植物の種類が増えれば、それだけアレルギーを起こす確率も高くなるはずだ。現代人は昔の人よりも敏感になっていると指摘する皮膚科の医師もいる。

「オレンジ」はヘナのみで、そのほかの白髪染め4品についても、ハーブの種類を抑えた配合で作りたいと思った。レシピは以前より考えていた。私は、かねてよりハーブの薬効や色についての構想を温めていた。

できる限り、多くの人が安心して使用できるようにしたい。その思いを、2018年8月に来日していたCNP社のタルンさんに話し、私が考えた薬草のレシピを伝えたところ、インドで試作をしてくれることになった。また、25グラムずつの個別包装を行っていたことについても、100グラムで1袋にしたいと話した。個別包装だとごみがたくさん出る、という声が多かったので改善しようと考えた。

その際、粉末シャンプーについても、打ち合わせを行った。ほかにも、薔薇の香りに注目しはじめていたことから、薔薇でパックを作りたいと提案した。タルンさんからは、アムラの炭の効果についての話があった。アムラは、肌の汚れや臭いをすっきりと除去する。そして、炭には強力な吸着力があり、これが消臭剤としての効果がある。洗顔料として使うことで肌の不純物を取り除いてくれるという。欧米ではすでに注目が高まっているようで、タルンさんの提案にのってみたいと思った。

インドに帰国したタルンさんから、次に私がインドに行く11月には、試作を見せてくれると連絡を受けた。

２０１８年11月、そして２０１９年３月とインドに行き、使用感や色みを確認し、２０１９年5月、「２０１９オーガニックハーバルヘアカラー」として新シリーズを発売した。ラクシュミー社独自の商品であり、日本のみの販売である。

「オレンジ」はヘナのみで、「ダークブラウン」「ディープチェスナット」「ブロンド」「レッド」は、それぞれ3種のハーブの配合で構成。２０１７年発売の製品が8～9種のハーブを使っていたので、随分と減らしたことになる。今できる最も満足な、ヘナおよびヘアカラーを揃えることができた。

ＣＮＰ社と出会えたことは、私にとって大きな希望が生まれた。こんなことをしてみたい、こんなことができるのではないか、という発想に耳を傾けてくれ、しっかりした研究と検査で裏付けをし、最良の製品を生み出してくれる。

美しい髪を、最先端のファッションという名のもとに壊す、修復して、また壊すという負のサイクルで回すことなく、生まれ持った美しい髪を保つ、余計なことをせずに髪を整え、美しさを生かすという正のサイクルで回したい。美容界で仕事をする人も、施術を受ける人も、誰も傷つくことなく、高齢になっても美しい髪、美しい肌を楽しむ世界を作りたい。美容に関する製品は、化学物質に頼らずに自然界の植物に頼ることで、使用後に下水に流した時の環境破壊の心配も少なくなる。持続可能な世界を作るために大切なことだ。

CNP社との出会いで、さまざまな思いを実現できる未来が見えた。

別名
ヘナ 和名は指甲花（シコウカ）、爪紅木（ツマクレナイノキ）
インディゴ インド藍
ヘナ 和名は指甲花（シコウカ）、爪紅木（ツマクレナイノキ）
ニュートラルヘナ※ アワル
インディゴ インド藍
ヘナ 和名は指甲花（シコウカ）、爪紅木（ツマクレナイノキ）
ターメリック
ニュートラルヘナ※ アワル
ターメリック
アニュアル カモマイル カミツレ
インディアンマダー
ビーツ
ヒンドゥー語でトゥルシート。英語でホーリーバジル（holy basil）。和名はカミメボウキ（神目箒）

ラクシュミーのヘナおよび白髪染めに使用しているハーブ一覧

ラクシュミー 商品名	日本での 成分表示名*	CNP社 Product List	学名（上） 科名（下）
2019 オレンジ	ヘンナ	Henna	*Lawsonia inermis* ミソハギ科
2019 ダークブラウン	ナンバンアイ葉	Indigo	*Indigofera tinctoria* マメ科
	ヘンナ	Henna	*Lawsonia inermis* ミソハギ科
	カシアアウリクラタ葉	Cassia (Neutral henna)	*Cassia auriculata* マメ科
2019 ディープ チェスナット	ナンバンアイ葉	Indigo	*Indigofera tinctoria* マメ科
	ヘンナ	Henna	*Lawsonia inermis* ミソハギ科
	ウコン根	Turmeric	*Curcuma longa* ショウガ科
2019 ブロンド	カシアアウリクラタ葉	Cassia (Neutral henna)	*Cassia auriculata* マメ科
	ウコン根	Turmeric	*Curcuma longa* ショウガ科
	カミツレ花	Chamomile	*Matricaria chamomilla* キク科
2019 レッド	アカネ茎	Manjistha	*Rubia cordifolia* アカネ科
	ビート根	Beet Root	*Beta vulgaris* ヒユ科
	カミメボウキ葉	Tulsi	*Ocimum sanctum* シソ科

*日本での成分表示名は、化粧品原料国際命名に基づき日本語で表記。
含有量の多いものから順に記載される。

※ヘナが知られ始めた1990年代、ニュートラルヘナという別名からヘナと間違えられ、
トラブルが発生したこともあった。

第三章

新発想・粉末ハーブで頭髪を洗い、整える

高い洗浄力と保湿力が、頭髪に負担をかける

使用中のシャンプーを見直す

１９９０年代のヘアカラーブーム以降、水分量が不足した傷んだ髪をなんとか美しく見せたいという考えから、より保湿力の高いトリートメント剤の発売が相次いだ。

ところが、保湿効果が必要以上に高いと、その分、汚れがつきやすくなる、毛穴をふさぐ、髪が乾きにくくなるなど、さまざまな問題が生じる。

汚れがつきやすくなったり、毛穴をふさいだりすることから、洗浄力のより強いシャンプー剤を求めるようになってくる。洗浄力の強いシャンプーを使うと、皮脂がどんどん取れ、頭皮が乾燥する。乾燥しすぎると、今度は、頭皮が脂を必要としていると体が察知し、脂をどんどん出すようになり、地肌が脂ぎった状態になっていく。そうなると、もっと強い洗浄

力を求め、シャンプーを毎日する。

この流れは、髪や地肌にとって負のサイクルでしかない。地肌を健やかに保つことができなければ、美しい髪も生えてこない。

毎日シャンプーをすると、シャンプー剤はたくさん売れ、業界は繁盛する。髪がぱさぱさになれば、トリートメント剤の売り上げも伸びる。頭皮や髪の状態を悪くする、ケアすることの繰り返しで、シャンプー業界は好調を維持しているように思う。

近年では私以外にも、「洗髪頻度が多いこと、シャンプーの高い洗浄力によってかえって頭皮や毛髪を傷めることが、ヘアケアの問題となっている」と指摘する人が、医療や美容業界の従事者に増えている。

シャンプー剤の出荷販売金額は１０７４億円を超えている（経済産業省生産動態統計調査経済産業省生産動態統計　年報　化学工業統計編　平成29年 年報　生産・出荷・在庫統計より）。出荷販売金額の大きさから、環境に対する負荷も大きな問題となるように思う。まずは、シャンプー剤の量を半分に減らす努力から始めてみるのはどうだろうか。

傷んだ髪からの移行期に必要な植物性合成シャンプー&トリートメント

ある程度の保湿力が必要な時期

傷ついた髪の再生時期のために、私は液体のシャンプーとトリートメントを作った。シャンプーはナチュラルハーブエキスを配合。髪の汚れや、酸化した皮脂を取り除くことを、主な目的とした。

合成シャンプーではあるが、生分解性に優れた、植物由来のもので作りたかった。液体であるため菌が発生しやすいことから、市販のシャンプーの多くは石油由来の合成防腐剤のパラベンが必要なのだが、植物3種を混ぜると抗菌作用があること、液体を酸性に傾けると菌の繁殖が抑えられること、この2つの作用を活用することで、石油由来のパラベン不使用の液体シャンプーを作ることに成功した。

２０１３（平成25）年より現在に至るまで販売を続けている。こちらは、製造を日本の化粧品会社にお願いしている。傷んだ髪には、ある程度の保湿力が必要であることから、シャンプーとトリートメントは必要である。なるべく髪と頭皮に負担をかけず、自然にも優しい製品を目指して作った。

この会社とのご縁は20年に及ぶ。それ以前は、毛髪診断について教えてくれた（93ページ）ところから良いと思うシャンプーなどを仕入れていたが、残念ながら会社が解散してしまった。担当の営業はとても勉強家で私はいろいろと教えてもらうことが多く、とても信頼していたので、倒産してしまった時は、大変残念に思うと同時に、これからどうしようかと途方に暮れた。ただ、彼と話しながら、将来、化粧品製造会社の営業や技術者と相談しながら、オリジナルのシャンプーを作ってみたいという思いも芽生えていたので、ここを決断の時期と思い、実現化へと舵を切った。

一方、健康な髪の人、傷んだ髪が回復した人のためにハーブだけで作ったシャンプーを作りたいと考えた。

髪の洗浄と白髪などの予防に効果のあるといわれる薬草を組み合わせた植物のみで作る。購入した人に、使用する直前に水で溶いて使ってもらうことで、防腐剤を入れる必要もなく、ハーブの成分の効果も長続きする。ハーブの組み合わせについて私の構想をタルンさんに話し、薬草の専門家であるタルンさんやＣＮＰ社の研究室で試作を繰り返し、２種の粉末シャンプー「２０１９オーガニックハーバルシャンプー」（みぐしすまし１、２）が完成した。

今後は、生分解性のいい素材を選び、パッケージを土に埋めると微生物の働きにより分子レベルまで分解し、最終的には二酸化炭素と水になって自然界へと循環していくパッケージでの提供を考えている。

健康な髪は、ハーブで洗って美しい髪を保つ

人にも環境にも優しい洗髪剤

先に触れたように、シャンプー剤が劇的に変わったのが1990年代からだった。若者にヘアカラーが大流行したことが影響している。ヘアカラーをして髪が傷ついたことで、より保湿効果の高いものを欲するようになった。

そして登場したのが、大手化粧品会社のシャンプーだった。宣伝広告費に同社史上最大額を投入し、購買者の意欲をかきたてる宣伝が行われた。使用した人たちからは、一時的に髪が保湿されることで、キューティクルが甦ったように感じ、美しくなるシャンプーと評判になった。

だが実際は、保湿効果が高いと頭皮は負のサイクルに陥り、洗浄回数が増える。石油系の

界面活性剤の入ったシャンプーを繰り返し使うことで、皮膚のバリアも壊れる。バリア機能が低下した頭皮にヘアカラーをしたり、パーマをかけると、経皮吸収も大きくなり、髪が傷むだけでなく、体も壊れてしまう。

人にも環境にも優しいものを作りたい。髪の毛と頭皮環境をより良く整えたい。その思いで作ったのが、ハーブ100%の粉末「みぐしすまし1」「みぐしすまし2」である。CNP社との出会いがあったからこそ、実現することができたと思っている。

「みぐしすまし」は、ハーブの力で皮脂の汚れをほどよく取り除き、髪の汚れを流す。頭髪や体に優しいだけでなく、人間の持つ回復力を高める働きのあるものを作りたいと考えた。

男性の薄毛が低年齢化しているのも、シャンプー剤や洗髪の頻度の影響もあると考えている。強い洗浄剤を使い続ける、頭皮が乾燥する、脂が必要と体が反応する、脂で毛穴が詰まる。このような負のサイクルに陥り、薄毛へとつながるのは、女性も男性も同じである。

私は、ヘナの研究を始めると同時に、他のハーブについても学んできた。使用したいハーブとその配合比をタルンさんに提案した。タルンさんも賛同してくれ、薬草学の専門家であるタルンさんのもと、CNP社の研究室で試作が行われることになった。

野生動物は体を洗う時、水とミネラルを多量に含んだ泥、植物に体を擦り付ける。そこで、「みぐしすまし」には泥を入れようと思った。ムルタニミッティというエコサート認証を取得している白土があるので、それを使おうとした。化粧品業界の中で、泥を使うのは難しいが、エコサート認証も取れているので使ってみようと思った。だが、非常に洗いにくかった。何度か試みたが、うまくいかなかった。

そこで泥を抜き、洗浄成分のある3つのハーブを使うことにした。それが「みぐしすまし1」に含まれている、日本での成分表示名、ムクロジ果実(学名*Sapindus mukorossi*)、アカシアコンシナ果実(学名*Acacia concinna*)、ジジフススピナクリスチ葉(学名*Ziziphus spina-christi*)の3つだ。

アカシアコンシナ果実、ムクロジ果実は泡立ち成分を多く含んでいる。日本での成分名、バコパモンニエラ葉(*Bacopa monnieri*)は、物忘れを防ぐといわれているので、入れてみようと思った。粉末を溶いて髪と地肌を洗う際、経皮吸収するであろうことも頭に入れながら、使用するハーブを選んでみた。

こうして、7種類の植物の実や葉を乾燥させて粉末にした「みぐしすまし1」と、5種の植物の実や葉を乾燥して粉末にした「みぐしすまし2」が完成した。「みぐしすまし2」は男性向けを意識し、ジンジャーを配合することで、スーッとする洗い心地を求めた。

「みぐしすまし」という商品名は、平安時代の物語『宇津保物語』などに登場する洗髪の描写、髪を洗って整えるという意味で用いられていた「御髪澄まし」から名付けた。

人に優しく、環境にも優しい。

全国25万軒のそれぞれの美容院が、毎日、何十回も化学物質のシャンプーやトリートメントを下水に流していることを考えると、地球は大丈夫なのかと心配になる。25万軒が地球に優しいものを使うことで、環境をかなり守ることができるのではないだろうか。

別名
キリストイバラ
シカカイ
リタ ソープナッツ
オトメアゼナ
マカ
ホーリーバジル
ニーム
ジンジャーリリー
シカカイ
リタ ソープナッツ
キリストイバラ
アムラ

ラクシュミーのハーブ粉末洗髪剤に使用しているハーブ一覧

ラクシュミー 商品名	日本での 成分表示名*	CNP社 Product List	学名(上) 科名(下)
みぐしすまし1	ジジフススピナクリスチ葉	Ziziphus-Spina	*Ziziphus spina-christi* クロウメモドキ科
	アカシアコンシナ果実	Shikakai	*Acacia concinna* マメ科
	ムクロジ果実	Soapnut	*Sapindus mukorossi* ムクロジ科
	バコパモンニエラ葉	Brahmi	*Bacopa monnieri* オオバコ科
	ブリンガラージ	Bhringraj	*Eclipta alba* キク科
	カミメボウキ葉	Tulsi	*Ocimum sanctum* シソ科
	アザジラクタインジカ葉	Neem	*Azadirachta indica* センダン科
みぐしすまし2	サンナ根	Spiked Ginger Lily	*Hedychium spicatum* ショウガ科
	アカシアコンシナ果実	Shikakai	*Acacia concinna* マメ科
	ムクロジ果実	Soapnut	*Sapindus mukorossi* ムクロジ科
	ジジフススピナクリスチ葉	Ziziphus-Spina	*Ziziphus spina-christi* クロウメモドキ科
	アンマロク果実	Amla	*Emblica officinalis* トウダイグサ科

*日本での成分表示名は、化粧品原料国際命名に基づき日本語で表記。
含有量の多いものから順に記載される。

第三部

未来へ
植物の可能性

第一章　植物の力を借りて

手ぬぐい、腰巻の染め。昔から植物に助けられてきた

合成染料が日本に入ったのは明治初期

植物の力は偉大だと思う。昔の手ぬぐいや着物の染めは、植物の薬効を意識していた。江戸時代、手ぬぐいは藍《あい》を原料にして、柄《がら》付《つ》けの染めが行われていた。藍は抗酸化力が強く、殺菌効果に優れている。手ぬぐいを持ち歩き、汗をふいた後に雑菌が増えるのを抑えることを期待したのだろう。厠《かわや》に手拭きとして下げることで、雑菌の繁殖を抑えたり、害虫を寄せ付けないなどの役目も担っていたとか。

女性の腰巻は茜色《あかねいろ》。茜は月経不順の改善、消炎、止血などの効果や体を温めることから、下着の色に用いられてきた。

八代将軍吉宗の頃には吹上御苑に染殿を設け、染色の研究がされていたという。

世界的にみると、植物の根や葉などから染料をとって行われる染色は、5000年以上の歴史がある。『魏志倭人伝』によると、3世紀にはすでに藍染や茜染が行われていたようだ。昭和4年頃からは、このような染め方を「草木染め」と呼ぶ。この呼び方は、合成染料による染めと区別するために、作家であり草木染研究家の山崎斌《あきら》氏によって名付けられ、1932(昭和7)年には登録商標が受理されたという。合成染料による染めは、明治初期に、ヨーロッパから人造染料が日本各地にぽつぽつと輸入され始めて、広がったという。

1932年に合成染料での染めと区別する名前「草木染め」が出てきたことを考えると、合成染が一般的になって約90年。それ以前は、植物の力を借りた衣類を着ていたことも興味深い。合成染料になって体にどのような影響が出るのか、その結果が明らかになるのは、まだまだ先になるのかもしれない。

生薬を頭にのせたらどうなるのか、その可能性を知りたい

頭皮は経皮吸収率が高いことを逆手に取る

政府広報オンラインにもカラーリングに対しての注意喚起を出したことは、体への影響があることが常識となってきたことを示すことにもなる。

化学物質の経皮吸収が体の不調を引き起こすことがある。体の中でも頭皮からの吸収率は高い（99ページ）。それならば、これをいい方向に生かせないかと考えた。

仮説として、生薬を頭にのせたらどうなるだろうか、いい方向に行くのではないか。CNP社に所蔵されている論文に、ヘナで肝臓機能が改善されたという記述を読んだことがあった。ワークショップの時に、その話に触れた。すると、受講者の中に、肝臓の数値が良くなっているという人が何人も現れた。誤解がないように付け加えておくが、肝臓が悪い人にヘナで

治療してほしいという話は決してしていない。

ハーブを経皮吸収することで、プラスの働きをしてくれるのではと仮説を立てたことは、すでに製品となっている「みぐしすまし」でも試した。ブラフミー(日本での成分表示名はバコパモンニエラ葉)を「みぐしすまし1」に入れたのは、このハーブが物忘れなどの改善が期待できると、植物図鑑などに記載されていたからだ。

この試みをさらに追求したいと思っている。

ハーブだけの力で体を整える

全身トリートメントや洗顔料を商品化

ラクシュミーから発売した「2019オーガニックハーバルトリートメント　ローズ」は、薔薇の全身用トリートメント。有機栽培により育てられた薔薇（ダマスクローズ）の花びらを乾燥させて粉末にしたものだ。使用する直前に、ぬるま湯を加えながらかきまぜ、垂れない程度のペーストになったら肌に塗布。時間を置いた後に、よく洗い流す。

ローズを使用したいと思ったのは、脳神経外科医の天野恵市先生の著書『薔薇と脳』（K&Kプレス　2016年）を読んだことがきっかけだった。薔薇の香りが認知機能を高める可能性を含んでいるとあった。認知症になる危険を避ける可能性があるかもしれないのなら、薔薇の香りのトリートメントを作ることはいいことだと考えた。

薔薇の中でも、香りの高いことで知られるダマスクローズを選んだ。ダマスクローズの品種名は「ロサ・ダマスケナ」。古代エジプトのクレオパトラ7世がダマスクローズを愛したといわれている。現在ではローズウォーターやオイルを取るための商業用として広く栽培されている。香水や化粧品、入浴剤などに多く使われている。肌を整える働きや香りがストレスの解消を助けることは、よく知られたことである。実際に認知症になる危険を避けることができるかどうか、現時点では明言はできないが、肌を整えることにプラスしてその働きもあるとしたら、未来に可能性を秘めている。

CNP社会長のナラヤンさんが、「アムラ」についてまとめた論文の中に、無農薬で栽培するのと、農薬を使用して栽培するのでは、含まれるビタミンC量が異なる。無農薬で栽培した方が多い、という記述があった。

今回使用しているローズに有効成分が十分に含まれているのは、無農薬栽培の力による。微粉末にすることで、ぬるま湯にも溶けやすく、成分が体に入りやすい。また、粉末に窒素充填しているので、酸化が進まず、薔薇の香りも高いまま残る。

洗顔料の「オーガニックハーバルクレンジング　アムラ」は、タルンさんと打ち合わせをしていた時に、アムラの炭の力を話してくれたことで、製品化に踏み切った。肌の汚れや臭いをすっきりと除去する。

炭には強力な吸着力があり、これが消臭剤としての効果があるということはよく知られたこと。洗顔料として使うことで肌の不純物を取り除いてくれるという。

アムラは脳の活性化、若返り、咳を鎮める、皮膚病、頭痛を和らげるなどの働きがある。アムラはインド特有の樹木で、古《いにしえ》よりその効果はよく知られ、薬として病気の治療にも使われてきた。アーユルヴェーダの文献の中でも、アムラは重要な位置を占め、日常的な薬の多くにアムラは原料として使われている。

アムラを炭にして洗顔料として使用することで、肌の活性化を促し、不純物を取り除く。余談だが、男性で足の臭いが気なる人は、一度試してみてほしい。粉末が微細なことはいいことではあるのだが、微細であるがゆえに炭の洗顔料は水に溶けにくく、「顔から垂れた炭で洗面所が真っ黒になった」、逆に、「炭の粉末が微細なために肌に残り、洗っても落ちにくい」という問題点が指摘されている。

これらについては今後、改良をしていきたいと思っている。将来、アムラの炭への期待は高いと直感したことから、商品化をしておきたかった。何事もタイミング。やろうと思った時に、一歩踏み出すことは大切だと信じている。時期をみてではなく、やろうと思ったときに一歩、踏み出す、進んでおくことが大切だと私は考えている。

第二章

経皮吸収による可能性を知りたい

ハーブの効果について CNP社とともに実証したい

人と地球に優しい商品の開発を

今、私はハーブが経皮吸収されることで体にどんな影響をもたらすのか、そのデータをきちんと取りたい、効果を立証する臨床結果を出したいと考えている。もちろん副作用などのデータとも向き合いたい。つながりを持っているラジャスタン州のジョードプル・アーユルヴェーダ大学のマノージ・シャルマ先生にお願いしたいと考えた。ラジャスタン州はCNP社のあるところであり、タルンさんも懇意にしている先生だ。

相談したところ、日本のアーユルヴェーダ学会を通しての依頼であればと教えていただいた。そこで、日本におけるアーユルヴェーダの普及に多大な貢献をされているイナムラヒロエシャルマ先生率いるアーユルヴェーダの研究学術団体「一般社団法人日本アーユルヴェーダ学会」を通してこの仕事をお引き受けいただけるように、お願いすることを考えた。

私が現在、経皮吸収による人体への影響について、調査研究を行ってほしいと考えている薬草は7つ。学名で、*Lawsonia inermis*、*Indigofera tinctoria*、*Rubia cordifolia*　*Azadirachta indica*、*Bacopa monnieri*、*Rosa damascena*、*Emblica officinalis*。化粧品原料国際命名に基づいて日本で表記される成分表示名でいうと、順に、ヘンナ、ナンバンアイ葉、アカネ茎、アザジラクタインジカ葉、バコパモンニエラ葉、ダマスクバラ花、アンマロク果実である。

効果が立証されたときは、それを美容にどのように使っていこうかという検討、商品化への取り組みが美容業界内で熱くなるはずだ。現在は化学物質によるシャンプーやカラー剤、トリートメントが主流であるが、その勢力図が変わる。１００％植物の製品が主流になるだろう。

美容業界全体が、「髪を壊して経済を回す」から、「髪を美しくすることで経済を回す」「体にも地球にも優しい製品が主流になる」と考えている。頭皮から全身を助ける試みも注目されるようになるのでは、と思う。体にも環境にも優しい経済循環が始まる。

髪や肌への有効作用だけでなく、経皮吸収した後の体への働きについて、臨床結果を出すには時間がかかる。だからこそ、一日も早く取り組んでいただけるように動きたい。ラクシュミーの製品の売り上げの一部は、研究費に回したいと考えている。

また、２０２９年までにラジャスタン州ジョードプルにアーユルヴェーダの病院を中心とした施設の計画を進めている。多くの日本人に、アーユルヴェーダの実体験をしていただきたい。

別名
ヘナ 和名は指甲花(シコウカ)、爪紅木(ツマクレナイノキ)
インディゴ インド藍
インディアンマダー
ニーム
オトメアゼナ
ダマスクローズ
アムラ

効果を期待している7つの植物

日本での成分表示名*	CNP社 Product List	学名(上) 科名(下)
ヘンナ	Henna	*Lawsonia inermis* ミソハギ科
ナンバンアイ葉	Indigo	*Indigofera tinctoria* マメ科
アカネ茎	Manjistha	*Rubia cordifolia* アカネ科
アザジラクタインジカ葉	Neem	*Azadirachta indica* センダン科
バコパモンニエラ葉	Brahmi	*Bacopa monnieri* オオバコ科
ダマスクバラ花	Rose	*Rosa damascena* バラ科
アンマロク果実	Amla	*Emblica officinalis* トウダイグサ科

*日本での成分表示名は、化粧品原料国際命名に基づき日本語で表記されている。

資料編

髪やヘアケアについて情報が得られるサイトを紹介

※リンク先の情報は2021年3月現在のもので、
この先、情報が変更または削除されることがあります。ご了承ください。

髪や化粧品などについて知るホームページ

日本ヘアカラー工業会
https://www.jhcia.org

日本パーマネントウェーブ液工業組合
http://www.perm.or.jp

日本化粧品工業連合会
https://www.jcia.org/user/

公益社団法人日本毛髪科学協会
https://www.jhsa.jp/

URL、二次元バーコード、使いやすい方をご利用ください。

毛染めによる皮膚障害について

消費者安全第23条第1項の規定に基づく事故等原因調査報告書
毛染めによる皮膚障害 消費者安全調査委員会 平成27年10月23日

アクセスすると、HP上に概要と本文の2種のPDFがあります。
https://www.caa.go.jp/policies/council/csic/report/report_008/

概要版
https://www.dermatol.or.jp/uploads/uploads/files/news/s20151028_kezomegaiyou.pdf

暮らしに役立つ情報（政府広報オンライン）
https://www.gov-online.go.jp/useful/article/201905/2.html

パーマ剤の使用上の注意自主基準（平成12年7月13日改正）
（日本パーマネントウェーブ液工業組合HPより）
https://www.perm.or.jp/about-perm/precaution/

この本の参考文献

『トリートメントヘアカラー ヘナ 若々しく美しい髪を保つために』（塩田要著／ゆうエージェンシー／1998年）
『美髪再生』（塩田鹿納命著／メタモル出版／2008年）
『新版 なっとく！ のヘアカラー&ヘナ&美容室選び』（森田要・山中登志子著／彩流社／2015年）
『アーユルヴェーダの驚きの果実　アムラの真実』（ナラヤン・ダス・プラジャパティ、タルン・プラジャパティ著、森田要監修、イナムラ・ヒロエ・シャルマ、森山繁翻訳／彩流社／2020年）
『ネパール・インドの聖なる植物事典』（トリローク・チャンドラ・マジュプリア著・西岡直樹訳／八坂書房／1996年）
『ディオスコリデスの薬物誌』（小川鼎三ほか編・ディオスコリデス著・鷲谷いづみ訳／エンタプライズ／1983年）
『民族植物学―原理と応用』（C.M. コットン著・木俣美樹男、石川裕子訳／八坂書房／2004年）
『ファラオの秘薬―古代エジプト植物誌』（リズ・マニカ著・編集部訳／八坂書房／1994年）
『ハーブの写真図鑑』（レスリー・ブレムネス著・高橋良孝日本語版監修／日本ヴォーグ社／1995年）
『外因性内分泌攪乱物質「奪われし未来」をどう読み解くか！』（平田雅彦著／研究資料〈非売品〉）
『経皮毒ハンドブック』（稲津教久著／PHP研究所／2009年）
『毛髪の科学と診断』（八木原陽一著／薬事日報社／2012年）
『発毛・育毛の新常識』（東田雪子著／日刊工業新聞社／2003年）
『髪の大辞典 傷んだ髪は復元できる』（社団法人日本毛髪構造機構研究会／徳間書店／2020年）
『サロンワーク発想だからわかる！ きほんの毛髪科学』（ルベル／タカラベルモント株式会社／株式会社女性モード社／2014年）
『天然染料の科学』（青木正明著／日刊工業新聞社／2019年）
『髪の文化史』（荒俣宏著／潮出版社／2000年）
『黒髪と美の歴史』（平松隆円／KADOKAWA／2019年）
『人の暮らしを変えた植物の化学戦略』（黒柳正典著／築地書館／2020年）
『生薬とからだをつなぐ』（鈴木達彦著／医道の日本社／2018年）
『ボケたくなければバラの香りをかぎなさい』（天野恵市／ワニブックス／2018年）
『薔薇と脳』（あまのけいいち著／K&Kプレス／2016年）
『正倉院宝物（とんぼの本）』（杉本一樹著／新潮社／2016年）

あとがき

2020年世界中を震撼させた新型コロナウイルスの衝撃。

人類は新たな時代を迎えて大きな岐路に立たされているようです。

私の研究の良き理解者であるインドCNP社の社長タルン・プラジャパティ氏は、早々にジョードプル・アーユルヴェーダ大学の薬草学の教授マノージ・シャルマ先生の助言を基に、新型コロナウイルス対策の錠剤の開発に取り組み、すでに1000万錠を、病院や警察などの公的な機関に無料配布を実施しています。

タルン・プラジャパティ氏は、アーユルヴェーダ(インド伝承医学)に基づく薬草の研究を続けながら、伝承の知恵と最先端技術を融合させた製品を世界中の人々に届ける仕事をし、同時に貧困層の農民救済に取り組み続けている、私の最も尊敬する人物です。

私は、「薬草によるヘアケアと経皮吸収による身体への影響について」の研究を進めています。

ヘアケアをしながら薬草の力を借りて髪・頭皮・体をメンテナンスしていく。

有機栽培で育てられた本物の草花の香りや感触を楽しみながらの美容、この新たな試みは、これまでの美容の常識や概念そのものを大きく変えていくきっかけになると確信しています。

また、この書籍は、今までの美容の薬剤が身体にあたえる影響を客観的に捉え、より理解し、より良い方向へ転換するために書きました。

遠い昔から、人類は身近にある植物の力を借りて衣類を染めたり、薬として服用したりとさまざまな形で恩恵を受けてきました。

これらの事は心身のエネルギーを整えるために必要な先人の知恵の一部でした。今では少しずつ忘れさられ、先人の知恵は継承されず迷信のように思われ、目に見えない世界の事は忘れさられているように思えます。

近代になり、便利さ、簡便性の名のもとに、化学合成の製品が、人体への影響よりも経済優先を柱に多くのものが開発され、環境に対しても大きな負荷をあたえ、深刻な問題へと進展しています。

製品づくりの基本は、〝人類にとって何が必要か〟という視点に立つべきだと考えています。今回の新型コロナウイルスも然《しか》り、常日頃からウイルスに対しての防衛、つまり免疫力を高めるための食事や環境を整えてさえいれば、あわてることはないように思えます。

美容院の現場で、毎日当たり前のように行われるヘアカラーやパーマはもちろん、環境ホルモンによる弊害も懸念され、経皮吸収による人体への影響は、計り知れないものがあるように思われます。25万軒を超える美容院から毎日垂れ流される廃棄汚染水の量は、想像をはるかに超えるものです。

今、世界中の人々が取り組み始めた〝サステナブル〟、持続可能な社会への実現、それは地球の環境を壊さず、資源も使いすぎず、未来も常に美しい地球で、平和にしかも豊かに生活し続ける社会作りです。

美容の現場をこういった視点で捉え、改善することが私たちにもできる、未来に対する環境への配慮だと考えます。

すべての人々の「髪」が、本来の美しさを取り戻すことができることを願っています。

「髪」を通して、多くの事を学び、体験し、新たなヴィジョン創造してきました。

「美しい髪」を手に入れる唯一の方法は、自ら意識を変えること。

2021年4月8日

Kamidoko 森田要

最高に美しい髪の条件
それは人の手を加えない
人の思考による誘導をしない
もちろん我々の「髪」は神が創造した物
完璧に決まっている
他の動物は身体の色を変えたり形を変えたりしない
キリンがシマウマになれるわけがない
ライオンがトラになることもない
ただ自分自身をひたすら生きる
それなのに
人はなぜ神のデザインを変えるのだろう
仮に「美」を求めているのだとしたら

自身を磨くことのみが美しさへの近道だ
今までの時代は経済を回す事が一番の目的でした
これに巻き込まれて髪が壊れた
これからの時代は「美しい髪」を最優先したい
目的はただ一つ「美しい髪」で在ること
私の提案に是非とも耳をかたむけて欲しい
より多くの人に本当のことを知ってほしい
このままでは髪のエネルギーが枯渇していく
自然と共生することで、いのちがとりもどされる
今こそ新たなヴィジョンに切り替えて
ここち好く
より美しい「髪」をあなたに

森田 要（もりた・かなめ）

1958年、山梨県生まれ。美容師。美容室kamidoko（カミドコ）代表、化粧品販売会社・株式会社ラクシュミー代表取締役。78年に東京マックス美容専門学校卒業、修業期間を経て84年独立、南青山に美容室を開店。98年にヘナやシャンプーなどの販売を開始。2009年からは「美髪再生」と「本当の美しさ」をテーマに全国各地でワークショップを開催している。著書に『トリートメントヘアカラー ヘナ 若々しく美しい髪を保つために』（塩田要著、ゆうエージェンシー、2000年〈旧版、ゆうエージェンシー、1998年〉）、『美髪再生 髪にやさしいヘンナをはじめましょう』（塩田鹿納命著、メタモル出版、2008年）、『新版 なっとく！のヘアカラー ＆ ヘナ ＆ 美容室選び』（森田要・山中登志子著、彩流社、2015年〈旧版、彩流社、2013年〉）、『最高のヘナを求めて 髪を美しくする奇跡の植物』（森田要著、茅花舎、2017年）、監修に『アーユルヴェーダの驚きの果実 アムラの真実』（ナラヤン・ダス・プラジャパティ、タルン・プラジャパティ著、森田要監修、イナムラ・ヒロエ・シャルマ、森山繁翻訳、彩流社、2020年）などがある。

髪 あるがままの美しさを求めて

2021年4月8日　初版第1刷発行
2023年2月19日　初版第2刷発行

著　者　森田 要

発行者　内田清子
発行所　茅花舎 Tsubanasha
〒253-0026
神奈川県茅ヶ崎市旭が丘5-40-214
電話：0467-58-1532

表紙デザイン　森田 要

イラスト　おぐらきょうこ
印刷・製本所　シナノ印刷株式会社

ISBN978-4-9907925-4-1 C0095